U0829541

国家出版基金项目
NATIONAL PUBLICATION FOUNDATION

《三联经典文库》

第二辑

2012 年国家出版基金项目

《三联经典文库》编辑委员会名单

学术顾问：吴敬琏　金冲及

编委会主任：樊希安

编委会副主任：李　昕　潘振平　翟德芳　常绍民　张作珍

编委会成员（按姓氏笔画）：

王忠义　尹昌龙　石晓光
卢　岳　叶　彤　田文生
曲柏龙　朱利国　刘　强
刘　靖　孙　漩　李　昕
李　峰　李永臻　李国庆
李学军　李湛军　吴文胜
张　荷　张作珍　陆　皎
林疆燕　罗　勇　周　斌
郑　勇　郝大超　袁淑芹
唐思东　涂　华　曹永平
彭　云　舒　炜　詹那达
蔡立国　翟德芳
樊希安　潘振平

三联经典文库

169

国语文法

曹朴　著

生活·讀書·新知 三联书店

Chinese Copyright © 2014 by SDX Joint Publishing Company.All Right Reserved.
本作品中文版权由生活·读书·新知三联书店所有。未经许可，不得翻印。

图书在版编目(CIP)数据

国语文法 / 曹朴著. -- 北京：生活·读书·新知三联书店, 2014.1
（三联经典文库第二辑）
ISBN 978-7-108-04761-8

Ⅰ.①国… Ⅱ.①曹… Ⅲ.①汉语－语法 Ⅳ.①H14

中国版本图书馆CIP数据核字(2013)第261782号

169 国语文法

责任编辑 戴云波
封扉设计 蔡立国
责任印制 郝德华
出版发行 生活·讀書·新知 三联书店
(北京市东城区美术馆东街22号)
邮　　编 100010
经　　销 新华书店
印　　刷 北京鹏润伟业印刷有限公司
版　　次 2014年1月北京第1版 2014年1月北京第1次印刷
开　　本 787毫米×1092毫米 1/32 印张 6.875
字　　数 94千字
定　　价 25.00元

《三联经典文库》出版缘起

适逢生活·读书·新知三联书店八十华诞，为弘扬传统，接续文脉，回报读者，服务社会，我们决定策划出版《三联经典文库》。

1932 年 7 月，生活书店在上海创办，此后，读书出版社和新知书店相继成立。本文库第一辑、第二辑所选图书，来自于这三家出版单位及其分支机构，以及 1948 年生活·读书·新知三联书店成立后的出版物，始于 1932 年，截至 1951 年，两辑各一百种。此为第二辑，涉及政治、经济、社会、军事、思想文化诸领域，涵盖专著、文集、散文、小说、诗歌、传记、报道等体裁，既有直面现实、追求真理、讴歌真善美、抨击假恶丑的原创作品，又有引介世界各国先进文化、传播新知、开启民智的迻译之作，真实记录了那一代知识分子的思考与探索、理想与愿景和对中华民族文化传承与创新所做出的努力与贡献。

本文库所辑入各书，多为名家名作，在版本方面，以初版一印本或经著译编者审定、修订、增订过的版本为首选，因此本文库又具有较为珍贵的版本价值和收藏价值。

本文库还将编选续辑，使之成为恢弘文化工程。诚挚希望读者给予批评和指正，帮助我们完善编选工作，再现三联经典作品之风采。殊为遗憾的是，由于年代久远，一些原著译编者及其后人未能取得联系并奉付稿酬，诚盼版权所有者与我们联系。祈愿三联前辈所创造的精神财富能薪火相传，为中华文化的伟大复兴增光添彩。

《三联经典文库》编辑委员会

2013 年 8 月

凡　例

一、本文库为重排本，由繁体字竖排版改为简体字横排版。

一、以忠实于原作、整旧如旧为编辑原则，对当时使用的专有名词、外文译名，以及民国时期的语言和特色予以保留。

一、原书注释如旧，编者所出的注释，均以“编者注”标明，以示与原书注释的区别。

一、对原书残缺或字迹漫漶之处，以□示代。

一、对繁简文本转换时的“如右”、“见左”一类，对应改为“如上（前）”、“见下（后）”。

一、对原书中各种错讹脱衍之处，直接订正，不再以其他符号标示。

一、对数字、标点符号的用法，在不损害原文语义的情况下，做必要的规范。

一、本文库各书均前插原书书影、原书版权页和文库版“本书出版说明”。

一、本书出版说明的撰写，以客观中立为原则，扼要介绍本书的内容、版本流转、著译编者的情况。

本书出版说明

本书如作者所言，是“为了给初学者讲一点关于现代国语文法的基本知识”，从而既区别于如王力《中国文法初探》、吕叔湘《中国文法要略》等语法书偏于文言文的倾向，也在探讨如何使现代国语在吸收外来语及沿用引申传统语言的基础上更为规范、明了。书的内容对于词句的分析及语序上的几种重要的变化的介绍，如“语词的分类”、“倒装的语序”、“词的虚实和发展”等，其目的是“使读者大致明白文法研究是怎样的一回事，因而阅读与写作时也稍稍能注意到文法上的表现”。

本书由上海致用书店印行于1947年7月，此次出版，即以此为底本。

作者曹朴，即曹伯韩（1897-1959），湖南长沙人，当代著名语言学家，著有六部语言学专著以及二十余部历史、地理、国际关系、青年修养等社会科学方面的通俗读物，如《语法初步》、《世界历史》、《语文问题评论集》、《中国文字的演变》、《怎样求得新知识》、《国学常识》、《民主浅说》、《通俗社会科学二十讲》等文化普及读物，均曾产生过较大影响。

生活·读书·新知三联书店

2013年8月

上海致用书店 1947 年 7 月初版书影

國語文法

有著作權★不准翻印

中華民國三十六年七月印行

著作人　曹　樸

發行人　孫明心

發行所　致用書店　上海河南路三二八號

特約分銷處　利羣書報發行所　上海河南路三二八號

聯營書店　重慶・成都・漢口

△定價每冊國幣六元三角

7. P. 208 1-2000

原书版权页

目次

前 记

“文法”这个名词，在过去是指修辞学与作文法说的，像近几年商务印书馆出版的《左传文法研究》那一类的书，也还是讲修辞学与作文法的。现代学术界公认的文法，却是另外独立的一门科学。它虽然和作文法有关联，但不讲到文章的体裁，作文的程序等等，而只说说遣词造句的各种格式。它所讨论的这些格式，只是供给作文法的一部分材料而已。至于它和修辞学的界限也很明白，它所讨论的问题是文章的通不通，而修辞学的问题却是文章的好不好。例如唐代诗人所谓“推敲”的问题，即研究“僧推月下门”与“僧敲月下门”两个诗句的取舍，是修辞学的问题。在文法学上，这两句诗都是文理通顺的，因此就没有问题。这样确定文法学的范围，还是西洋人的“葛郎玛”输入中国以后的事。马建忠著的《马氏文通》便是这时期的中国文法的第一部著作。

《马氏文通》是告诉我们阅读及仿造秦汉以上的古文的，它不能帮助初学者学习现代中国语文，这是国父在《孙文学说》一本书内批评过的。我们现在所需要的文法书，首先应当是讲明现代语文的文理的，它的作用，应当能够帮助初学者了解现代语文而增进其阅读与写作的能力。近年通行的文法书，只有黎锦熙《新著国语文法》是完全讲语体文而内容比较详备的。其余的书，如陈承泽《国文法草创》，章士钊《中等国文典》，杨树达《高等国文法》及《词诠》，虽然见解比较《马氏文通》进步（陈氏比黎氏的还新颖），但是内容差不多全是讲文言文的。王力《中国文法初探》、吕叔湘《中国文法要略》，都是很好的书，但所讲的仍然偏于文言文。王先生还有《中国现代语法》一书，将在商务印书馆出版，这是专讲口语的习惯法的，以南北方言为对象，不但不是讲文言文，而且也不只是讲一般的语体文，可说是一种值得珍视的文法书，但对于一般读者说，这还是专门性的，须首先对于文法有了一个基本的认识，再拿它作较精详的研究，才会感到它的价值。

本书的编述，是为了给初学者讲一点关于现代国语文法的基本知识。在这儿，我们只略略谈到词句的分析，和语序上的几种重要的变化，使读者大致明白文法研究是怎样的一回事，因而阅读与写作时也稍稍能注意到文法上的表现。比方自从白话文运动开展以后，所谓国语文欧化的问题便引起了一般人的注意。这个欧化的内容，除采用外来语充实词汇外，差不多都是从直译外国文而来的文法革新，如果咱们对于文法有了基本的认识，那末遇着这一欧化的问题，便不难判断它的是否必要，它的发展的限度和发展的正确途径。同时在自己的写作或指导别人写作以及阅读时，也不难辨别哪些应当欧化，哪些应当从大众口语中去学习，使我国文字的表现更精密而多样化。

过去的文法书，不但《马氏文通》有缺点，就是黎著《新著国语文法》也有毛病，近年来许多语文革新论者对于那两种书作了不少的批评，而中国文法研究革新的积极尝试也已经开始，这只要读一读陈望道编《中国文法革新论丛》便可以大致明白。这书中所收论文，提供了一些好的意见，本书也采取了一部分。不过有许多问题，大家还没有深入的讨论，意见也很纷歧，我们在新旧理论之间，斟酌去取，还是暂时采用一般人的说法，特别在术语的采用上，本书多半依照旧有习惯，很少采用新术语。

为便利自学起见，本书书末附有习题答案，读者最好自己先行试答，然后翻检。书末还附有索引，凡目录上所没有标明的事项，可以从索引检得，次序系仿黎著《国语文法》例，依注音符号次序，按首字的国音排列，所注数码是书内题目的次第。

三十二年十一月曹朴记于桂林

一　语词和词素

人们用一种语言交谈，或者用文字来代表语言，其所以能够相互了解，就是因为用的同样的符号，而且拿同样的规律去组织起来的缘故。文法这一门科学，就是从语言和文字的习惯用法中，去找寻它们的组织规律。因为各种语言文字有各种不同的组织法，所以就有各种不同的文法。本书所讲的是中国语文的组织规律，而且以现代语文为主，文言文的文法，只偶然附带的谈到一下。

文法有什么用处？它可以指导我们的阅读和写作。未曾受过现代教育的老先生，读不懂现代语文写成的杂志论文，其原因之一就是完全不了解新式的语句构造，换句话说，就是不懂现代文的文法。有些人批评人家文章不通，只能笼统地说文理不顺，文气不贯，不能说得明明白白，清清楚楚，这只是由于只懂文法的习惯，而没有文法上的系统知识。如果知道一点文法的科学，便不但容易解析语文的条理，还可以明白清楚地说明通与不通的界限了。

平常我们说文章是由单字构成的，但在文法上却不是这样说的。文法上要说文章是由语词（或称词，或称词儿，近来有人改称语）构成的，换句话说，文法上的基本单位是语词，不是一个一个的字。

语词是语言的表现单位，它是可以自成个体，在语句中活动的。例如“太阳落山了”，“太阳是天空中的一个星球”，这两个句子中的“太阳”是自成个体的，是构成句子的一个单位；我们决不能把它再分开，单说一个“太”或单说一个“阳”。

因此“太阳”是一个语词，这个语词不但可以在上列两个句子中活动，还可以在无数句子中活动，例如“太阳的光线有七色”“太阳是恒星”“我爱太阳”等。

再如“反对帝国主义！”一个句子中有六个单字，却只有两个语词，一个是“反对”，一个是“帝国主义”。我们应当把这个句子看成由两个语词构成的，不看做六个字构成的。

又如“车前子”（是一种草）这三个字自成个体，不能拆开，所以只是一个单位，即一个语词。如果分成三个单位看，“车”是交通用的车子，“前”是前面，“子”是儿子，那不是“车子前面的儿子”吗？怎么能算得是草名呢？

又如“鹦鹉”“蟋蟀”“螳螂”等等的语词，都是由两个单字合成一个整体，根本就不能拆开来用，如果拆开，任何意义都没有了。

所以我们读书，光是识字还不够，还要能够识语词。

语词由一个字构成，或由两个或更多的字构成，我们分别叫做单音词和复音词。例如“学生唱歌”这个句子中，“学生”是复音词，“唱”“歌”是单音词。

复音词里面的单字只是语词的一部分，我们叫它做词素。例如“太”字，可以作为单音词，例如“天太热了”句中的“太”字；也可以作为复音词的词素，如“太太”“太阳”“太子”“太平洋”“太极图”等语词中的“太”字。又如“的”字，可以作为一个单音词，如“张三的眼睛近视”句中的“的”字；也可以作为复音词的词素，如“的当”“的确”“目的”“标的”等语词中的“的”字。

复音词可分为“单纯的”及“合成的”两种。例如上面所举的“鹦鹉”“蟋蟀”“螳螂”等，根本不能拆开的，就是本来复音词，又叫单纯复音词。又如“飞机”“轮船”“工厂”“语言”“文字”等语词，就是合成复音词。

习题一

一　试举出十个复音词的例子！

二　用“道”作词素的语词有哪些？

三　用“文”作词素的语词有哪些？

四　下列复音词，哪些属于本来或单纯复音词，哪些属于合成复音词？

性命　生活　躲避　美丽　图书馆　警察　岩石　拥护　凶恶　共和国　枇杷　伶俐　吟咏　徘徊　地中海　元宵　颠倒　恍惚　太平洋　空气　啰唆　原谅　问题　不倒翁　益鸟　害虫　简单　复杂　行政院　活泼　严肃　吩咐

二　句子和短语

由单字而构成语词，已在上面说过，现在要说的是，由语词而构成句子或短语。

无论说话或写文章，都是由一个一个的句子组织起来的。句子可说是语言或文章的表现单位。

凡属一个句子，必定表示着完全的意思，使人们一听或看了就懂的。这是句子的必要条件。字数的多少倒没关系。例如“狗叫”“客来”都是完全的句子，但“圆圆的月儿”“一只叭儿狗”却都不是句子，至少不是完全的句子。为什么呢？因为听了或看了“狗叫”“客来”就懂得说话人的意思，但凭空听了或看了“圆圆的月儿”或“一只叭儿狗”却弄不清说话人的意思。他如果说“圆圆的月儿爬上树梢”或“圆圆的月儿终于要变成不圆的”，“我买了一只叭儿狗”或“一只叭儿狗落了水”，那我们就懂了（不完全句子在对话时也用，那是因上下文的关系而被了解的，不能当作一般句子的常态看）。

大凡普通的句子必定具备两个基本的成分：主语和述语。主语是一句的主体，例如“狗叫”句中的“狗”，“客来”句中的“客”。述语是说明主体的动作、状态，或与其他事物的关系的，例如“狗叫”“客来”句中的“叫”和“来”。

换句话说，主语是说“什么”事物，述语是说那个事物“怎样”。两个成分不能缺少一个（有少数例外，以后再说）。例如“花落”这个句子，假使单说一个“落”，没头没脑，不知是雨落呢，树上果实落呢，还是花落，这就是没有主语不能成句的明证。假使单说一个“花”，人们也觉得这句话只有半截，到底是花开呢，是花落呢，是花好看呢，不能明白，这就是没有述语不能成句的明证，现在把几个例句分别主语述语写在下边看看：

【主语】	【述语】
鸟	鸣。
水	流。
一只叭儿狗	落了水。

我　　买了只叭儿狗。

圆圆的月儿　　爬上了树梢。

假使把几个语词连结起来而不够形成一个完全句子，那我们就叫它做“短语”（近来有人改称“语团”）。不完全的句子便是一种短语。

“鸟叫”是句子，不是短语。“鸟”是单独的词儿，也不是短语。“小鸟”才是短语。“叫得好听”也是短语。“一只叭儿狗”“圆圆的月儿”“落了水”“爬上了树梢”都是短语。

短语的短不在形式上，而在意义上，例如“中华民国广西省桂林市十字街口的一个广场”，长到十九个字，七个词儿，还是一个短语，不能算句子。但“花落”“水流”，各只两个字，却是句子，而不是短语。

有时候，句子和短语的分别，只在词儿排列的次序上面。例如“水流”是句子，“流水”就是短语（这个流水只当作流着的水解释。假使当作商店的一种帐簿来解释，便成了一个单独的词儿，又不是短语了）。“花落”是句子，“落花”就是短语。短语虽然是一串词儿，但作用只等于一个词儿，例如“流水”还只是那个水，“落花”还只是那个花，并没有讲水怎么样，花怎么样。“流”和“落”放在前面，只有修饰、形容的作用，没有叙述的作用。

语序在中国文法上非常重要。而刚才所说的那个语序变换，尤其是基本的规律，我们必须首先把握的。

习题二

一　下边各例，哪些是短语？哪些是句子？哪些是词儿？

水牛　牛马奴隶　明月　月亮　太阳　太多　明朗花红（花现红色）花红（一种利润）

花红（一种水果）月明　牛鸣　马蹄（荸荠）马蹄（马的蹄子）太阳落山了　鸣鸟　牛毛

二　拿下面甲部的材料和乙部的合成句子！

（甲）（1）乖孩子（2）从噩梦中醒来的人（3）断垣残壁（4）在草屋前面飞翔的小鸽子（5）骂街的泼妇（6）慈爱的母亲（7）不妥当的字句

（乙）（1）催眠她的小宝宝（2）使人看了很伤感（3）是我的旧相识（4）吵闹了大半天（5）心神还是不定（6）应加洗刷（7）最博得父母亲怜爱

三　上题（甲）（乙）两部各属于句子的什么成分？

三　语词的分类（上）

语词，按照它们的作用来分类，可以分成七类或九类。先举出几个例句，再来说明吧。

（一）太阳出来。（二）月亮走。（三）花儿落。（四）植物生长。（五）一个人有两只手。（六）牛是动物。（七）青天高。（八）红日出。（九）桃花红。（一〇）李花白。（一一）太阳开始出山。（一二）月亮已经下去。（一三）我看见他。（一四）这是什么？（一五）蚊子太多了。（一六）年纪老则头发白。（一七）他年纪虽然老，但头发不白。（一八）我在图书馆阅书。（一九）你为什么不来呢？（二〇）哎呀！这怎么办？（二一）牛三头。

在上面各句子中，太阳、月亮、花儿、植物、人、牛、天、日、桃花、李花、动物、蚊子、手、年纪、头发、图书馆等词儿，都是事物的名称，叫做“名词”。句子的主语，大半是由这种词儿来充当的。

句子的述语，主要地是由“动词”来扮演。如上面例句中的“有”是表示事物之存在的动词；“是”是判断事物间之联系的动词；其他如出、来、走、落、生长、下去、看见、阅、办等是表示动作的动词，还有红、白、高、老、一个、三头等词儿用作述语的时候，是表示状态或数量的动词。本来我们认识一切事物的现象，首先要认识它们有无（存在或消灭），其次要认识彼此间的联系（甲是乙或不是乙，即所谓是非的判断），认识它们质或量的特点和变化，以及种种的动作。而这一切现象，无论表面上是动是静，实际上都是变动不定的，所以叙述它们的词儿，总称为动词（也可叫现象词）。

除名词动词外，还有你、我、他、这个、那个等词儿，叫做“代名词”，这是为了说话的便利，有时不提事物的名称，而用来代替那些名称的。

有“修饰词”，如红日出的“红”，青天高的“青”，用在“日”和“天”的前面，把它们修饰一下，使“日出”及“天高”两个句子的主语，形象更明显了。又如第（一一）（一二）两例句，用了“开始”和“已经”两个修饰词，把“出山”和“下去”修饰一下，这两个动词的动作，就有了时间的限制，意义便更清楚了。我们说话，仅仅用名词动词，只能说出一个轮廓，一个大概，必须加上修饰词，才能够讲个一清二白。

还有“关系词”，也可称“联络词”。如例（一六）（一七）的“则”“虽然”“但”等，把“年纪老”句和“头发白”句或“头发不白”句联络起来，各各使两句成为一句。又如例（一八）的“在”，例（一九）的“为”，也是一种关系词，前一个把“图书馆”联络到“阅书”上去，限制了“阅书”的地点，后一个把“什么”联络到“不来”上去，道出了对于“不来”的疑问所在（就是在于不来的原因方面），这样便又形成了两个修饰性的短语“在图书馆”和“为什么”，它们都在修饰着述语。

还有“助词”，是表现说话的口气的，如疑问的口气用“吗”“呢”，断定的口气用“哩”“呢”，商量的口气用“吧”等。这种词儿大半放在句子的末尾，又称“语助词”。

还有“感叹词”或“叹词”，是表现说话时喜怒哀乐之情感的，如“哈哈”“哎哟”“天呀”等，常常独个儿插说在句子之间。

以上共计七大类：（一）名词（二）代名词（三）动词（四）修饰词（五）关系词（六）助词（七）感叹词。其中修饰词还可分成“形容词”及“副词”，关系词还可分成“介词”及“连词”，因此又成了九类。

形容词与副词之间、介词及连词之间，各有怎样的界限，下一节再加说明。

习题三

一　下列各句中的关系词、语助词及感叹词，都有引号标明，试分别指出：

（1）“哦”！西林拉肚子好了“吗”？

（2）没有“呀”！还在尽拉尽拉，一天要拉一二十次“呢”！

（3）“因为”我们常用右手，“故”右手比较灵活些。

（4）你不用“替”我担忧，也不必“为”他着急。

二　指出下列各句中“在”字“流”字的词类：

（1）母亲“在”灯下缝衣。（2）他今天“在”家。

（3）长江上“流”水势比较湍急。（4）光阴如“流”水一样地过去了。（5）江水向东“流”。（6）风“在”吼；马“在”叫；黄河“在”咆哮。

三　分析下列句子中的词类，填入括弧：

（1）小（　）鸟（　）在（　）枝头（　）叫（　）。

（2）二个（　）蜘蛛（　）正（　）在（　）庭前（　）结（　）网（　）。

（3）他们（　）真的（　）欢喜（　）。

四　语词的分类（下）

修饰名词或代名词的词儿，文法书上称为形容词，例如：

“红”桃“绿”柳　“白”雪　“大”树　“三个”人　“不幸的”我　“多情的”你

修饰动词、形容词的词儿，就叫副词，例如：

“很”红的花　“深”绿的叶　“极”大的树　“约”百余人　“十分”不幸的人（以上修饰形容词）

他“不”来　他“要”来　他“已经”来　他“没有”来　他“立刻”来　我“必须”去　我“一定”去　“快”走　“慢”走　“大”怒　“深”思　“缓”步　伯劳“东”去燕“西”飞　“前”仆“后”继（以上修饰动词）

副词又可加在另一副词的上面去修饰它，例如：

“不”很多“不”甚好“太”不行了

形容词和副词，形式上本来没有分别，近年来有人把语尾“的”字写成两个样子来分别它们，例如：

——一架很大“的”飞机嗡嗡“地”掠过头上。

——两个年轻“的”男子嘻嘻哈哈“地”闹着玩。他们这样“地”消磨着悠闲“的”时光。

照上边的例子，“的”字是作为形容词的语尾，“地”字作为副词的语尾。但最近有些人，却又把形容词的语尾写成“底”字，冯友兰教授各种著作中都是这样写的，例如：

——此种了解是最亲切“底”了解。

——有些人觉得这是一个很严重“底”问题。

（请参看后面“的字的用法”节）

以上是形容词和副词的分别。再说介词和连词。

介词和连词的分别可从两方面看。

第一，词儿和词儿之间，关系如果是平列的，那关系词就叫连词，例如：

——美丽“而且”聪明

——“又”活泼“又”端庄

——“或”左“或”右

关系如果是一主一附的，那关系词就叫介词，例如：

——我阅书“于”图书馆。

——我“于”图书馆阅书。

上例“于”字所联络的是“图书馆”和“阅书”。“阅书”是句中主要部分，“图书馆”是次要部分。前者是述语，与“我”字相连而成“我阅书”，便是一句中的骨骼。后者是修饰语，附属于“阅书”，而指明阅书的地点。修饰语在句子中间，只是附带的东西，不及述语的重要，所以联络修饰语和述语的词儿，我们不叫连词，而起个介词的名称，意思是说，把修饰语介绍到述语上面去（参看第九、第二十五节）。

副词修饰动词的时候，是不用介词去介绍的，名词修饰动词，就大半须由介词介绍，上例“图书馆”就是一个名词。介词和所介的词儿常在一起，它们形成一个有副词作用的短语，例如“于图书馆”，自成一个小组似的，可以放在“阅书”的前面或后面（但其他介词所成的短语，多半只能放在动词的前面，例如“我在图书馆读书”便不能改成“我读书在图书馆”，如果改了，“在”字就成了述语，而句意只是说明我读书的地点了。但“他在柴堆上坐”却可以改成“他坐在柴堆上”。因为口语注重时间的顺序，前者必预先在而后读，后者则可说在与坐同时，也可说是坐而后在）。

第二，句子和句子之间，关系无论是不是平列，那关系词一律称为连词。例如：

——“为了”他不肯来，我不得不去。

——“假使”我不去，事情糟了。

上例都是副句在前，正句在后。又如：

——冬去“而”春来。

——我愿意走，“但”他不愿意。

上例前后句平列，不分正副。

习题四

一　分别下面的副词和形容词：

（1）那“沉重”而“发抖的”炮声，像醉汉的呻吟，散布在“阴暗的”天幕下。

（2）“一道”溪流“嗤嗤地”响着。

（3）“壮”志“饥”餐胡虏肉。

（4）“血红的”早霞“慢慢”从东方升起。

二　分别下面的介词和连词：

（1）他“从”南方来，“而”我“到”北方去。

（2）鸭子们“在”池边徘徊了一下，“于是”一个个跳进水去。

（3）这夜晚是寂静“而且”黑暗。

（4）升降机“因为”不停的上上落落，它“就”成了坏脾气，一关门，“便”愤懑地轧响。

五　句子的发展

从语言的发展程序看，句子是从单纯而走向复杂的。最单纯的句子，连主语述语的分别都没有，是一种“独词句”。

最初的独词句大概只用一个感叹词，例如“阿呀！”后来便有用一个动词的，例如“打！”再后来便有单用一个名词的，例如“火！”

这些句子虽然只有一个词儿，但意义是够丰富的。“阿呀”的意思也许是说前面来了一只野兽，也许是说一匹鹿逃跑了，也许是旁的。“打”的意思也许是我打你，也许是大家来打他，也许是旁的。“火”的意思也许是“有火”，也许是“起了火！”，也许是“快生火吧！”也许是旁的。

从这里的说明，我们又知道这种独词句，不但意义丰富，而且意义含糊、不确定。假使听话的人不看见当场情景或说话人的手势，便不容易猜中说话人的意思。

因此随着语言的进步，这种独词句便大大减少，那多词句便逐渐加多，而文章（书面的语言）的句法，尤其是以多词的为主。

但独词句在现代语文里面，还是常用的。感叹词是仍然形成独词句的。其次在对话的时候，也常常用独词句。例如某甲在窗子外边撒尿，某乙在屋子里问他，两人对话如次：

“谁？”

“我。”

“啥？”

“尿。”

这几个句子真是简洁得很！但意思又非常明白，用不着再加一个词儿上去。

多词句也是从简单而走向复杂。

最普通的多词句是有主语和述语这两种成分的。但最初的多词句，不一定完全具有这两种成分。

例如“开弓呀！”“射箭呀！”“捉了他！”这样的

句子只有述语，而没有主语，但意思是明了的，可以应用在命令或请求别人做事的场合。

假使把成分不全的句子除外，专讲成分完全的呢？那句式很多的。我们更不能任意断定什么句式发生在先，什么句式发生在后了。因此为了说明的方便起见，我们首先把有修饰成分（即附加成分）的句子按下不说，只说那些有骨骼没有血肉（修饰成分好比血肉）的句子。其实这种句子不一定都发生在前，而前一种也不一定都发生在后。

句子骨骼的简繁，在述语上分别。

最简单的述语，只有一个动词。例如“鸟叫”“桃花开”，述语只有“叫”或“开”。

比较复杂的是在动词后面还得加一个补充的词儿。例如“猫捉……”“我有……”“他是……”这些句子，动词后面一定要添补一个词儿上去，成为“猫捉老鼠”“我有书”“他是学生”，意思才明白。

更复杂的述语，在动词后面补添了一个词儿之后还得再补，例如“我的话引起他们……”“大家推举张君……”“我给他……”这几句话，动词后面已经加了

"他们""张君""他"等词儿，但后面还得再添些词儿上去，如果添成了"我的话引起他们发笑""大家推举张君做主席""我给他铅笔"，意思便完全了。

这些添补的词儿，我们通通叫做补足语。那种要添补两次的，可以分别叫第一补足语，第二补足语。带补足语的动词，就叫述语的干部（简称述干）。

习题五

一　指出下列句子中的主语、述语（或述干）及补足语：

（1）武松打虎。

（2）老太婆念佛。

（3）雀儿飞。

（4）他变成了厌世者。

（5）我教他读书。

二　试举出几个不完全句（或者缺少主语，或者缺少述语的）的例子！同时将上下文写出来，使得完全的意思仍然可以看懂。

六　有无句　是非句

动词是句子的中心。因此几种不同性质的动词，可以形成几个作用不同的句类。

第一类是“有无句”。这类句子的述干是表有无的动词。例如“我有一本书”“岂有此理！”“此地无银三百两”等句。

有一种有无句，它的特点是突然从动词“有”或“没有”讲起，前面不必有一个领头的词儿。例如：

有人在家吗？

没有人懂得。

不好，有贼！

这种句子的作用，是表示事物的存在或不存在的。存在就是“有”，不存在就是“没有”或“无”。所说的事物，通常总是写在“有”“无”的下面，例如讲“人”不存在，就说“没有人”或“无人”，而不说“人无”或“人没有”。说“贼”存在，就说“有贼”而不说“贼有”。不过有些时候也倒过来说，例如“晚饭有了，是不是送去？”

另外有一种有无句，它的特点是用一个讲时间或讲地方的词儿领头，说明那个存在的事物是在何时何地，例如：

左边有山，右边有河。

此地有崇山峻岭，茂林修竹。

宋朝有个宰相王安石。

民国三十年有一次日食。

第三种有无句，领头的词儿好像数学上的分母，总提一下，以下分开来说，好像分子，例如：

玫瑰花有红的，有白的。

本校的学生，有男的，有女的。

第四种有无句，“有”字表所有权的意思似乎要多一些，领头的词儿就是所有者，例如“我有一本书”。不过像“我有敌人凶似狼”，就并非所有权的“有”，只是说明存在物“敌人”，和我有敌对关系罢了。

现在讲第二类的句子“是非句”。这类句子里面最主要的词儿就是“是”或“不是”（或“非”）等表是非的动词。例如：

长江是一条大水。

鲸鱼不是鱼。

这类句子的作用是判断是非的，又叫做“判断句”。判断的句子有时只是解释一种事物的意义，例如说“牛是有角的兽”，当我们只注意正面的意思时，就只是解释牛的涵义。但如果我们把“是”字读得重，就含有申辩牛不是无角兽的意思了。或者明白说“牛不是无角的兽”，意思也相同。凡否定的句子总是申辩是非的。肯定的句子有的是申辩是非的，有的却只能解释涵义。

有些判断句，“是”“不是”放在全句的开头，例如“是我疏忽了，不是你的错”。但这类句子的普通形式，“是”或“不是”的前面必定有领头的词儿，后面也必定带着补足的词儿。是非动词对于它的前后的词儿，尽着联系的作用，但前后的词儿却不可任意颠倒，例如“牛是有角的兽”，假使倒过来说，“有角的兽是牛”，这便不妥。因为在习惯上，前面的词儿所表示的范围往往较小，后面的词儿往往代表较大的范围，如果把范围较大的放到前面来，便得在它的上面加个限制的词儿，例如加上“一部分”或“某种”到上述的例句上去，写成“一部分有角的兽是牛”或“某种有角的兽是牛”，便没有什么不妥了。

还有“动作句”及“质量句”两种句类，到以下数节再说。

习题六

一　指出下列各句属于什么句类：

（1）这是一枝派克墨水笔。

（2）被帝国主义侵略的国家为殖民地或半殖民地。

（3）有许多人反对你。

（4）这里没有什么大财主。

（5）我并非说他不对，只是补充一点。

二　改正下列句子的毛病：

（1）动物是猴子。

（2）十二个月有一年。

（3）树没有，这个石山上。

（4）岛国是日本。

七　动作句——内动和外动

动作句把表动作的动词做一句的中心。例如“学生读书”，“猫捉老鼠”，“螳螂捕蝉”等句，把“读”“捉”“捕”等字做中心。

这类句子又称“叙事句”，它的普通形式是在动词前面放个“起词”，来表示动作的起点，在动词后面放个“止词”，表示动作的止点，例如上例的“学生”“猫”“螳螂”都是起词，“书”“老鼠”“蝉”都是止词。止词放在补足语的地位，就叫做“宾语”。

还有一种叙事句，是不需要止词的，例如“鸟鸣”“猫儿跳”“花开”“小孩玩耍”等；这种句子的动词即“鸣”“跳”“开”“玩耍”等，叫做“内动词”。而前面那种句子的动词，即“读”“捉”“捕”等，叫做“外动词”。

内动的意思是说动作向内凝着，即动作在起词的本身上停止了。外动是说动作向外射出，从起词射到止词，也就是从主体射到客体，因此跟在动词后面的止词又叫宾词。

同一词儿，用在不同的句子，可以兼充内动词与外动词。例如：

〔鸣〕鸟鸣。（内动） 小子鸣鼓而攻之。（外动）

〔跳〕猫儿跳。（内动） 鲤鱼跳龙门。（外动）

〔滚〕皮球滚。（内动） 学生滚铁环。（外动）

〔结束〕缅甸雨季结束。（内动） 盟军拟于两年内结束战争。（外动）

〔叫〕汽车叫。（内动） 我们叫他过来。（外动）

还有一种动作，形式上是外动，意义上却和内动差不多，拿白话文和文言对照一下，便显得出来。例如：

【白话】	【文言】
这个人“睡”觉。	此人“眠”。
这个人“走”路。	此人“行”。
我将“做官”。	吾将“仕”。
太阳“出”山。	日“出”。

上例走路之“路”，出山之“山”，有些文法书认为是副词性的宾语，因为动作意义说到“走”字“出”字已经很明白，“路”和“山”只是附带说明地点的修饰词。做官的“官”，就是起词。“我”所要做成之物，不好说是外动，因此有些文法书上说这个“做”字是内动词，但“做”字下面决不可省去“官”字，否则语气不完全，因此就称“做”字为“不完全内动词”，后面跟着的“官”字，只叫补足语，不叫宾语，以表示和外动词有分别。不过在语言习惯上，上例各白话句的动词都是和下面的补足语连用，可以当作一个词儿看的，睡觉、走路、做官、出山只是等于眠、行、仕、出的四个动词，不必拆开看了。

由以上所说，动作句普通形式有两种：

（一）三分句——可分成三部分，因其系由三个主要部分构成。其排列次序为“主语——动词（述干）——补足语”（这儿的补足语大半是止词，可称宾语）。

（二）二分句——由两个部分构成，排列次序是“主语——动词”。

还有前第五节说过的带两个补足语的句子，也属于动作句，例如“我（主）给（动）他（补一）铅笔（补二）”，这句“铅笔”是止词，“他”则称为“受词”，因为铅笔是被给之物，而他是受物之人。止词在这里又有直接宾语的，那么受词就得叫间接宾语。又例“我（主）叫（动）李君（补一）来（补二）”，这句“李君”是“叫”的宾语，而“来”则是“李君”的补足语。因为“叫”字仅仅有一“李君”作宾语，还不够意思，还得用一个“来”字补宾语的不足。换句话说，因为李君之来是受“叫”的影响，所以“来”字，应当作补足语看（这种句法有时也可当包孕复句看，看第十六节）。

这两例的普通排列次序如下：

（三）四分句甲式，词序是“主——动——受（间宾）——止（直宾）”。

（四）四分句乙式，词序是“主——动——止（宾）——补”。

习题七

一　分别下例中动词的内动和外动·

（1）别闹。

（2）学生闹风潮。

（3）马戏班的姑娘跳绳。

（4）保哥儿他们今天可以在这里玩。

（5）他爸爸要买架小飞机送他呢。

二　指出下列各句所缺少的成分是什么，并完成之：

（1）大众工业社聘刘律师……

（2）某公馆……张小姐做家庭教师。

（3）我们介绍……和张小姐结婚。

（4）……请市政府扑灭霍乱。

【注意】四分句乙式的第四部分，不一定是一个单词，有时是一个短语。

八　质量句

第四类句子，以质量动词为中心。例如：

（1）花儿美。（2）花儿香。（3）青天高。

（4）远树稀。（5）雪儿白着。（6）桃花红了。

（7）莉莉三岁了。（8）白球五个，红球两个。

以上第（1）至（6）句，都是说明事物的性质的。末尾两句是说明事物的数量的。美、香、高、稀、白、红，都是讲性质的动词。三岁、五个、两个，都是讲数量的动词。这两种动词，合起来，总名质量动词。这类句子就叫“质量句”。

以上例句中的“了”字“着”字，都是“助词”。“三岁”“五个”“两个”两词中间的“岁”字“个”字，是“数量词”里面附带的“单位词”或“量词”，也可说是数量词的“语尾”。读者请参看后面“助词”节及“数量词”节。

质量句又名“表态句”，因为它的作用不是表示事物的动作，而是表示事物的状态。如果把这种句子的动词和主语颠倒过来，句子便变成了短语，动词就变成了形容词。例如：

（1）美丽的花儿。（2）清香的花儿。（3）高高的青天。

（4）稀疏的远树。（5）白雪。（6）红的桃花。

（7）三岁的莉莉。（8）五个白球，两个红球。

以上这些都是短语，而不是句子。美丽的、清香的、高高的、稀疏的、白、红、三岁、五个、两个都是形容词。形容词的作用是修饰，动词的作用是说明。形容词和质量动词的分别，只在于位置的不同，不在于形式。如果一定要找一点形式的分别来，就是有些形容词可以附带一个“的”字在后面，这个“的”字是“助词”，也可当做形容词的“语尾”看，请参看“的字的用法”节。

质量句的形式和动作句中的第二形式（内动的普通形式）相同，就是“二分句”。

同时质量动词和内动的动作动词，也可以相通，而质量句和一部分动作句的意义也互相类似。例如：

（1）死的死了，跑的跑了，就剩下他一个了。

（2）日本兵退了，他们的后路也切断了。

“死了”“跑了”“退了”“切断了”在上面例句中都是完成的动作，凡动作一经完成就成了状态，所以上面各句是叙事句，而兼表态句。又如“他在门前立着”和“雪在融化着”也相类似，都表示一种进行中的动作，也可说是表态。“桃花红了”及“雪儿白着”都是表态的，而带动作意味。

有些动词如“腐朽”“破烂”“饥饿”“成熟”“醒”“醉”“快乐”“烦恼”……等，都是内动词，而兼有质量动词的意味，它们可以当形容词用。例如“腐朽的木头”“饥饿的乞丐”“成熟的意见”“醒狮”“醉蟹”“烦恼的心境”等短语中附加的词儿。

又，在动作动词前面加一个“可”字，或在后面加一个“得”字，而造成的动词，或语形动词（参看第二十九节）也是表示性质的。例如可怜、可爱、可怕、可笑、可恼、可靠、可恨、可耻、看得、耍得、吃得、走得……等。加“得”字的用法例如“这幅画还看得”；“没煮熟的小菜吃不得”是。

凡质量动词都可以转变成为形容词，附加在名词前面，作为修饰语。动作动词如果附带了（或暗含了）“了”“着”“可”“得”等字，也可以转成形容词。例如“跑了的贼”“打败了的敌人”“败兵”“死人”“奔逃着的马”“可怜的秋香”“吃得的果实”等短语中附加的词儿。

习题八

一　试将下列短语改成句子：

（1）燃烧着的火焰

（2）强烈的光线

（3）呻吟着的病人

（4）伶俐的孩子

（5）可爱的小燕子

（6）美妙无比的春景

（7）漂亮的鸟的羽毛

（8）他的七旬老母

二　试将下列句子改成短语：

（1）他的喉咙嘶哑了。

（2）这河流永远汹涌着。

（3）黎明到来了。

（4）石榴花开着。

（5）轻风吹拂着。

（6）市民因空袭而疏散。

（7）空军的战绩辉煌。

（8）他的意志薄弱。

（9）这个题目颇新颖。

九　修饰语

上几节我们已经把句子的述语作过一番分析，句子骨骼的内容大致明了了，现在来说一说句子的血肉——修饰语。

假使动物光有骨骼而没有血肉，它就没有生命；同样，一篇文章中的句子假使都是只有主语述语而没有修饰语的，那文章意义就不会表达得精密正确，而作风也就枯燥呆板，不会有什么生气。

修饰语是句子的附加成分，它是附加在主语或述语上面的，它的通常位置是在主语或述语的前面。我们曾在第二节举出“落花”、“流水”的句子，并说“流”“落”用在前面，只有修饰、形容的作用，没有叙述的作用。第三及四节讲形容词和副词的时候，第八节讲质量动词转变成形容词的时候，也举出过好多的修饰语例子，可以证明修饰语的位置在前。

就一个句子说，它可以有两种修饰语。一种形容词性的，一种副词性的。充当这两种修饰语的当然包括形容词和副词，此外还有和形容词副词作用相当的短语和句子（看第十六节）。例如：

（1）牛（主）奔跑着。（述）

（2）“一只”（形修）牛“疯狂似的”（副修）奔跑着。

（3）“一只”（形容词）“被·人·追逐·的”（形容短语）牛“疯狂似的”（副词）“沿着大路”（副短语）奔跑着。（小圆点是表示短语中包含了几个词儿）

（4）植物“借着日光”（副短语），制造碳水化合物。

（5）“植物借着日光，制造碳水化合物”（形容句）的作用，叫做光合作用。

（6）他“为了天气太冷”（副句），就不出门。

上例句（1）是没有修饰语的。句（2）有形容修饰语及副修饰语各一。句（3）有形容修饰语及副修饰语各二，一为词儿，一为短语。句（4）在句（5）中是一个形容修饰语，附加在名词“作用”上面，即修饰这个名词，使我们因此知道“作用”是怎样的作用。句（6）中的副句，是副词性的修饰语，修饰“不出门”，即说明不出门的原因，这叫做原因副句。

以上（1）（2）（3）（4）各句都是单句，各只包含一个主语，一个述语（单句有时可有两个主语，但述语则只有一个，例如“他和她相互谈心”，“他”“她”是两个主语，述语则只有一个“谈心”）。（5）（6）两句都是复句，因为每句中间都包含了另一个小句子。

当作修饰语用的短语最常见的是用一个动词或介词起头的。例如前面（3）（4）句中的“沿着大路”“借着日光”的“沿着”“借着”都是介词。又“我于图书馆阅书”句中的“于图书馆”也是以介词领导的修饰语，我们已经在第四节说过。至于以动词起头的修饰语，我举下边几个例子：

（甲）“开船”的时候，朋友A在舱外唤我。

（乙）我仿佛在“用眼睛”听了。

（丙）诗人在冬夜，只合“围炉”话旧。

上例（甲）“开船”前面没有个主语，一见便知是个修饰性的短语，但（乙）句“用眼睛”前面分明有个主语“我”，（丙）句“围炉”之前也有个主语“诗人”，为什么不说是述语而说是修饰语呢？这是因为（乙）句的重点在“听”字上，（丙）句的重点在“话旧”上。换句话说，按照语序的一般规律，主要的动词一定在后，修饰的动词一定在前，所以决定“听”与“话旧”是述语，“用眼睛”及“围炉”是修饰语。再则这两句的“用”“围”两个字，不妨就当作介词看，因为介词本是由外动词转变而来的。

习题九

一　用括弧括出下列各句的附加成分，并指出其直属于“形修”或“副修”，是单词或短语：

（1）妈在她女儿前蹲着。

（2）她在洗碟子的布上揩了手。

（3）你向来是好女儿。

（4）有一辆坐六个人的汽车停在柳树的旁边。

（5）音乐奏出了尖利的清澈的调子。

（6）一个阔肩膀的男子用手掌拍拍他的膝。

（7）一个没有鞋子穿的破衣服的孩子，同着别些好衣好裤皮鞋短袜的孩子们住在一起。

二　以下列的句子做骨干，加上修饰语，造成较长的句子：

（1）人走。（2）卡车颠簸。（3）警察捉贼。（4）女子洗衣。（5）孩子哭。

一〇　动词的被动态

由外动词造成的句子，有时候得把起词做补足语，把止词做主语。例如“日本吞并朝鲜”，这是站在日本立场上说的，但在行文上有时要站在朝鲜立场上说“朝鲜被日本吞并”。通常认为第一句动词“吞并”是主动态的，第二句“吞并”是被动态的。表示被动态的形式，在白话文中通常的例子是一个“被”字加在述语前面。除“被”字外，还可以用“给”“让”“叫”“由”等字，例如：

学生“给”先生教训了一顿。

那个贼“让”警察捕去了。

这件破衣服“由”你剥了去吧！

明天我掉在池子里，“叫”个癞头龟吃了去。

有些文法书上认为“被”“给”……等字是表示被

动的一种介词，因为它们把被“谁”所动的“谁”（主动者）介绍出来了。其实就句式说，这仍旧是四分句乙式——表示被动的“被”“给”……等字是主要动词，也就是述语主干，在它后面的“日本”“先生”“警察”“你”“瘌头龟”等就是第一补足语，“吞并”“教训了一顿”……等是第二补足语。

有时候第一补足语（起词）省略不写，句式便成了三分句，例如“朝鲜被吞并”，“被”字是述语主干，“吞并”是补足语。或者把“被”字当做副词看也行，那么“吞并”就是述语。

不过省略起词的被动态句子，习惯上只有用“被”字的一种较为普通，用“给”“让”等字便很少把起词省去的。例如“学生给教训了一顿”“那个贼让捕去了”，便不多见。

现在口语中表示被动，大半是用“被”字，其次用“给”字的也渐渐多起来了。“给”字的来源是北方语。“被”字本是承袭文言文的，还有“为……所”句式，在文言文用得较普遍，语体文有时也采用了，例如：

朝鲜为日本所吞并。

滇越路中国段为我国所接管。

这可说是用“是非句”的形式来表示被动态，因为“为”字在这里就是“是”的意思。至于“所”字，用在动词“吞并”前面，就使它和它的起词“日本”所形成的小句变了名词性的短语，并且指示着动作的止词“朝鲜”，而充当它的代名词（参看后面代名词节）。因此“日本所吞并”就等于“日本吞并的东西”，“我国所接管”就等于“我国接管的东西”，这都是附带修饰语的名词性短语（简称名复语，看第十一节）。

还有一个表示被动的形式，就是在外动词后面不用止词。例如“日本打败了俄国”是主动态，“日本打败了”是被动态，“打败了”前面不必再加“被”字，因为它的后面，没有止词。又如“房子呢，卖了；衣服呢；当了”。也是同样的例子。文言文像这样的句子尤其多，例如“走狗烹”就是“走狗被烹”，“良弓藏”就是“良弓被藏”。

文言文的被动表现法，还有几种：（一）用“于”字放在动词以后，下接起词；（二）用“见”字加在原来的动词上面；（三）同时用“见”“于”两字。例如：

（一）朝鲜并于日本。

（二）盆成括见杀。

（三）朱买臣见弃于其妻。

习题一〇

一 试将下列句子，主动态的改为被动态，被动态的改为主动态：

（1）梦境给鸡声啼醒了。

（2）他抓住了书中的要点。

（3）这孩子打碎了那个玻璃瓶。

（4）墨索里尼的政权被意大利人推翻了。

（5）劳力者治于人（人即劳心者）。

二 你能就各种表现被动态的句式各举出一个例子来吗？

一一 句和短语的关系

短语不但可以构成修饰语，而且可以充当句子主干的各部分，如主语、述语、（整个述语）宾语及一般补足语。例如“做这种事”一短语，可以像下边那样：

作主语：做这种事是不好的。

作整个述语：他做这种事。

作补足语：最讨厌的是做这种事。

作宾语：我不喜欢做这种事。

作第二补足语：他叫我做这种事。（限于四分句乙式）

语句有时候是互相交错的。复杂的短语，可以包含另一短语，甚至包含一个小句。例如“昨天来的那个人”一短语，中间包含“昨天来的”那一形容短语。“叫我做这种事”也是一个短语，中间又包含“做这种事”那个短语。

又如“我昨天来的时候”是一个短语，其中包含了“我昨天来”的一个句子。“做他昨天做过的事情”也是一个短语，其中包含的“他昨天做过”却是一个句子。

文章中最常见的短语有两种。一种是名词为基词（我们把修饰的词儿叫基词或端词），上面加修饰词的，例如“青山”“绿水”“昨天来的那个人”“我昨天来的时候”都是（不过最后一例也可当作全句中一个副句看）。这种短语既然以名词为主，就可叫作“名词复短语”，简称“名复语”（又名“词组”）。另一种是以动词为中心，附带补足语或修饰词的，例如“做这种事”“读书”“努力工作”“风餐露宿”等，可叫“动词复短语”，简称“动复语”（又名“词结”。但创立“词结”一名词者连子句也叫词结）。名复语和动复语都可以充当句子的各种成分。动复语的例如上面“做这种事”，除已有句干成分各例外，还可以举两个作修饰词的例子如：

形修：做这种事的人很少。

副修：你不能像做这种事一样地干。

名复语各种作用，可以“这枝红花”为例，它能像下边一样：

作主语：这枝红花很好看。

作补足语：她送的就是这枝红花。

作宾语：我爱这枝红花。

作第二补足语（限于四分句甲式）：她送我这枝红花。

作形修：这枝红花的花瓣落在毯子上。

作副修：那个美人像这枝红花似的显得娇丽。

不过名复语在白话文中不能单独作述语用。又，名复语及一部分动复语作副修饰语用时，都不能不添加“像……似的”之类的关系词上去。有些动复语作副修饰语用，不需要再加关系词，动词本身就变成了介词。名复语或动复语当形容修饰语用时，都不能不添加一个“的”字在后面做关系词。但字数少的则不用添“的”字，只从语序上去表示。

句子假如须改成短语（名复语）时，方式大约有三个。一个是改变语序，例如“水流”改成“流水”，这在第二节已经说过。其他的例子有如“学生读书→读书的学生”、“兵败→败兵”、“乞丐饥饿→饥饿的乞丐”、“强盗杀人→杀人的强盗”等。另一个方式是在主语和动词之间插入“的”字（文言文插入“之”字，文言文这种句法最普通），例如“乞丐的饥饿”、“强盗的杀人”、“兵之败”、“水之流”等。第三式是在动词前加“所”字（口语可省），动词后加“的”或“之”字（文言可省），例如“强盗所杀的人”、“学生所读的书”。三种方式各有各的用处，当我们把重点放在起词上面时，便应采第一式；重点放在动词上面时，便应采第二式；重点放在止词上，便采第三式。重点所在，就是基词。

习题一一

一　试以动词作基词，改变下列句子为短语（名复语）：

（1）鸟飞兔走。

（2）土地广大；人口众多；物产丰富。

（3）武松打虎。

（4）屠夫杀猪。

二　上面各句，如以主语为基词，怎样改成短语？

三　上面第（3）（4）句如以宾语作基词，怎样改成短语？

四　指出“天天吃茶”一短语在下边各句中所担任的职务：

（1）天天吃茶，也费好些钱呢？

（2）他天天吃茶。

（3）我不喜欢天天吃茶。

（4）他劝我天天吃茶。

五　分别下边句子主语中的“名复语”和“动复语”。

（1）“清风明月”不用一钱买。

（2）“饭后散步”可以帮助消化。

（3）“饿死”是小事，“失节”是大事。

一二　倒装的语序

句子的成分，在普通句子中，各有一定的位置。例如“一个牧童在草地上牧牛”这个句子，先说牧童，后说牛，这就是主语在前，述语在后的次序，这次序是依据先“体”（实体）后“用”（作用）的原则（看第二十八节）。就“牧牛”这个述语来说，先说牧，后说牛，这就是“述语主干（动词）在先，补足语在后”的次序，这次序是依照先因后果的原则。又就“一个牧童”及“草地上牧牛”来看，先说一个，后说牧童，先说在草地上，后说牧牛，这就是“修饰词在前，基词在后”的次序，这次序是依照基层在下的原则。这三个原则形成了中国语文的基本语序。

可是，平常说话或写文章的时候，却除了基本语序之外，还有种种不同的语序，对于基本语序说，就是倒装的语序。它们怎样产生的呢？有时为了要强调后面一部分，便把它从后面移到前面来，有时为了前面的附加语太长，便把它移到后面去。此外还有种种的倒装语式，它们的作用，也只是增强语势（重点原则），或减免语句的笨拙累赘。举例如下：

主语倒装例

（1）未免说得太过火了，“你的话”。

（2）红了“樱桃”，绿了“芭蕉”。

止词补足语（宾语）倒装例

（1）“金钱”我可牺牲；“名誉”我必保全。

（2）“这种不关紧要的事”，你可不去管他。

（3）谁能把“花生的用处”说出来？

这一句照普通次序，应当是“谁能说得出花生的用处来？”“花生的用处”是“说”字的宾语。现在用介词“把”字把它提到动词前面去，形成了“把花生的用处”这个短语，作为修饰“说”字的副修饰语了。

（4）你怎么连“亲戚”也得罪起来？

这句照平常说法，就是“你怎么得罪亲戚起来？”“亲戚”是“得罪”的宾语。现在用了“连”字在前，“也”字在后，就把“亲戚”提到动词前面去了。这个倒装句的作用，是强调“亲戚”那个语词。

修饰语倒装例

（1）下面铺着一方一方的花石，“很整齐的”。

照普通次序，应说“下面铺着一方一方的很整齐的花石”。现在把“很整齐的”移到后面去，使句法轻松些。注意“花石”下必须用点号来表示停顿。

（2）车儿走得“慢”，马儿走得“快”。

这两句把副词“快”“慢”放在动词“走”的后面，就把“快”“慢”的意思加强了。如果说“车儿慢慢行，马儿快快走”，那情形就不同了。这只是叙述车马进行的状态，不是比较它们的快慢。

在上面的最后一例中，用了一个“得”字在动词和附加语的中间，这个“得”字，它的作用原来只是帮助语气的停顿，避免它的急促，现在却形成了联络词。同样的字还有“的”“到”等。再举几个例：

（1）这东西好到了极点。

（2）他累的透不过气来。

（3）那人急得脸发青了。

进一步说，这样的副修饰语，并不是倒装，因为它们必须放在动词后面，才合于语序的习惯。假使改成"他透不过气来地累了"及"那人脸发青地急着"，语句反而不自然了。大概说起来，修饰语如果是说的动作的结果或影响，就必须放在动词后面说，像以上两例，"透不过气来"，就是"累"字的结果，"脸发青"，就是"急"字的结果（脸发青是一个小句子，作修饰语用）。修饰语的这种位置，是依据了关于语序的时间顺序原则，这原则包括上述的先因后果，就是先发现的现象先说，后发现的后说。原因先说，结果后说。

习题一二

一　用倒装法改造下列的句子：

（1）天空变成"很浅很浅的"浅蓝色。（强调引号内的词儿）

（2）一个花白头发而衣服都很破烂的女人从前面来了。（要改得轻松些使像口语）

（3）不可去看"不可看的东西"；不可去吃"不

可吃的东西”。

（4）我看完了“那本书”。

（5）这个大学生不看“报”的。

（6）战争“干干净净”地破坏了那个古代建筑物。

（7）他“睡不着觉”地欢喜着。

二　把下列句子依普通的语序改造：

（1）真太不小心了，这位先生！

（2）他把昨天的话完全忘了。

（3）那边来了一群小孩子。

一三　时地词领导的句式

动作句有两种语序。一种是记载式，只是静态的记载，所采的是普通的形式，主语在前，动词在后，例如“那个人从广东来”，“他在路上走”。一种是述说或描写式，这种动作句子，因为要表现得活泼生动，必须把动词提到前面来，而将主语倒装或省略起来，而且由表示地方或时间的名词（叫处所词和时间词）来领头，例如“河上架着个木板桥”，“殿前放着个大香炉”。这两个句子的用意：不是记载板桥和香炉的来历，即重点不在板桥和香炉上，所以不用“板桥被架在河上”，“香炉被放在殿前”的记载式。它们的用意，在于描写河上或殿前的情景，句子重点就是“河上”和“殿前”两个词儿，所以由这两个词儿领头。又如“今天请了不少客人”，“前天淹死了一个孩子”，也是这种述说式的句子，不过领头的是时间词“今天”“前天”罢了。

还有一种用处所词或时间词起头的句子，例如“园里长着花草，园外流着溪水”,“今天来了许多客人”,“昨天逃走了一个俘虏”，形式上也和“河上架桥”差不多，不过这种句子和前面那种略略有点儿不相同，因为动词不是被动性，你如果改成普通形式，便是花自己长着，溪水自己流着，客人自己来，俘虏自己逃。从形式上看，我们不管这些分别，把“园里长花”和“河上架桥”都可以看成“动词——主语”的倒装句子，这种倒装句子，是必须用处所词或时间词的副修饰语来起头的。

又如“有无句”里面，有一种形式是“一年有十二个月”，“前面有狼，后面有虎”，这简直是用时间词和处所词做主语了。因为“前面”“后面”等词儿，正和“我有一本书”的“我”相当。我们大可以说这话里面所说的月属于“年”那一段时间，狼属于“前面”那块地方，而虎则属于“后面”那块地方。甚至于连那个突然而起的“有贼”也可以认为暗含了一个广泛不定或无须说明的处所词的主语，因为“有贼”的意思等于说“此地有贼！”

同样“是非句”里面，有“从前是他得势，现在是你当权”及“东边是太阳，西边是月亮”的例子，也可说是用了时间词或处所词的主语。

现在再举几个例子，来说明前面那种“副修——动——主”的倒装句：

（一）这儿坐着一个老师，四围立着许多学生。

（二）帽子后面拖着翎毛。

（三）两枝大红蜡烛的中间点着一炉香。

（四）那杨柳树上缚着一个小偷。

上面一二两例，动词不是被动性，如果改成记载式语序，可以不加“被”字，就是“一个老师在这儿坐着，许多学生在四围立着”。“翎毛在帽子后面拖着”。三四两例，动词是被动性的，如果要改成记载式语序，可以加“被”字进去，并且加了才更明了些。这就是“一炉香在两枝大红蜡烛的中间被点着”及“一个小偷在那杨柳树上被缚着”。不过这种句子，如用这个记载式语序，说起来怪笨拙的，事实上不用。

这种句子还可以改成“主——动——副修”的形

式，这就是把处所词的副修饰语移到后面去。如上例，可以改做“一炉香被点在两枝大红蜡烛中间”，“一个小偷被缚在那杨柳树上”，这也是记载式，但比较那完全正常的句法要好些。

至于在什么时候用什么形式，这要从上下文来决定，例如后面第二十七节所说的那样。同时，语序上的时间原则，重点原则，也可以作为决定的根据。

假如作文者或说话者的注意着重在“香”和“小偷”上面，就得采用后一记载式，先说“香”和“小偷”。假如注意着重在“香”和“小偷”所在地点的情景，那就应当采取前面的述说式，先说“两枝大红蜡烛”和“杨柳树”了。又如当写作人或说话人观察时，如果先发现“蜡烛”和“杨柳树”，后发现“香”和“小偷”，那也得采用前面的倒装句式。假如发现的次序相反，就得采用后一种形式（主——动——副修）了。这就是语序上的时间原则和重点原则。

习题一三

一　把适当的处所词填入下列各句前面的空白：

(1)……站着一个警察。

(2)……挂着一把胡琴。

(3)……有一个假山。

(4)……射入一线阳光。

(5)……堆着厚厚的雪。

二　上面句子那几个是描写式?你能够照记载的语序把它们改写吗?

一四　四分句甲式的变化

前第七节里，我们曾经说过两种“四分句”。其中一种叫甲式，就是“主语——动词——受词补足语——止词补足语”，它的语序变化很多。

这种句式，现在举出一个例子，并且把四个成分隔开来写，就是“我——送——他——一本书”。我们不妨把它叫做四甲第一式。

这种句子的第二个补足语，是可以提到前面去的，例如“我们把一本书送他”，“我把好方法教你”，加了一个“把”字，第四成分便调换了位置，而形成了四甲第二式“主——（把）——止词——动——受词”。

还有加个“给”字进去，把受词补足语移到后面去的，例如“我送一本书给他”，“我寄一封信给你”，这个语序是“主——动——止——（给）——受”，这是第三式。

还有第四式，就是“主——动——(给)——受——止”，例如“我送给他一本书”，“你写给他一封信”。

还有第五式，就是“主——(把)——止——动——(给)——受”，例如“他把两个柿子送给我们”，“我把那本字典还给老张了”。

还有第六式，就是“主——(给)——受——动——止”，例如“他父母给他娶了个太太”，“冬儿给我送棉袄来了”。

以上各种变式，或者要用“给”字，或者要用“把”字，或者“给”“把”两字都用，“给”字是用在受词补足语前面的，“把”字用在止词补足语前面的，两字都是介词。介词加在补足语前面，便形成了短语，而采取副修饰语的形式，去修饰动词了。例如：

他把两个柿子送给我们。

他给我们送两个柿子。

这两个句子，大写的字是骨骼，而“把两个柿子”和“给我们”便分别做它们的修饰语。第一句两个修饰语，一个加在送字前面，一个加在送字后面，是按时间次序排列，因为“把两个柿子”在先（把就是拿），“给我们”在后。“给我们”在第二句等于“为了我们”，所以也放在前面，这是先因后果的顺序。

这种句子里面所用的介词，普通虽用“把”字“给”字，但不一定用这两字，有时用“将”“拿”等字来代替“把”字，用“替”字来代替“给”字（替字只第六式可用）。

以上第三、四、五、六各式，动词和它的受词补足语被旁的字离开，没有直接联结，都叫间接式，第一及第二式，就叫直接式。各式间接的变换，随各个动词而不同。例如第三式句“我寄一封信给你”，可以改为第一式“我寄你一封信”，但“我写一封信给你”便不能改为“我写你一封信”。这完全是习惯上的差别，没有别的理由可讲。假使有人创造“我写你一封信”的句子，又有人沿用，那句子也可以成立的。

有些动词如“夺”“取”“学”“问”“罚”“借”等词，所造成的四分句，只有直接式。例如：

日本夺了“我国”许多地方。

老张借过“我”许多钱，还欠我许多钱。

学生问“教师”一个问题。

这家伙我要罚“他”一笔款子。

上面加引号的是受词补足语，都紧接在动词后面。但有些句子却常用“和”“跟”“向”“从”等介词把受词补足语提前，而形成间接式。例如：

市民都向“报馆”打听消息。

我愿意跟“你”学习学习那种技术。

他想和“老太太”讨些衣服。

大家都从“郑先生”处得了益处。

习题一四

一　下边的句子，可以改成几个别的样式？试试看！

（1）那个客留给你一张纸条。

（2）李君借了朋友许多的书。

（3）老师给予张生头等奖。

（4）你可别把实话告诉他。

（5）我不曾得他一点好处。

（6）他不曾给我一点好处。

二　将下边成分配合成许多四分句（可以加入介词）：

第一或第三成分：民众、校长、学生、教师、商人、驻军长官、订货处。

第二成分：呈献、颁给、赠送、交付。

第四成分：纪念旗、课卷、一批货、战利品、毕业证书。

一五　成分不完全的句式

原始的语句本来是不完全的，这在第五节里面已经说过，现在要说的是，在语句发展到完全阶段以后，仍然有许多成分不完全或成分被省略的句子。这种句子，因为有些成分不写或不说出来，也可以读懂或听懂，而形式又来得简洁的缘故，所以在习惯上很流行。

句子的成分是主语述语补足语等。在自叙文字，如日记、游记、回忆录、自传等里面，常常省略主语“我”字。有时充当补足语的“我”字也可略去。命令的文字，常常省略主语“你”字。在对话或通信的时候，有时省略主语，有时省略述语，而“你”“我”两字尤其多被省略。还有承上或见下的省略，就是一连串的句子共一个主语的，那主语就只讲一次；或者共一个述语的，那述语也不重讲。补足语也是一样。举例如下：（括弧里面的字都应省略。）

【自叙省略例】

（一）今天天气晴明，（我）到穿山去会考同学张君，（我）回来时，在河边跌了一跤。

（二）（我）回忆（我的）童年时期，（我）和许多孩子在江边顽耍，（我们）每天同大自然接触，多么有趣！

【命令省略例】

（三）（你）快些来！

（四）（你）别开玩笑！

【对话省略例】

（五）（你）几时来的？（我）才来不久。

（六）（我）请（你）坐！

（七）“谁站在那边？”

“你的姊姊（站在那边）。”

“她在干什么？”

“（她）在浇花哟。”

【通信省略例】

（八）（你）近来好吧？昨天（我）晤及令

兄，得知府上平安。

【承上或见下的省略】

（九）我送他风筝，（我）赞成他放，（我）劝他放，（我）也和他一同放。

（十）这算题真容易，不但我（能做），就是任何人也能做。

（一一）我早起游山，看见了七八朵蒲公英，我俯身摘下（它们）在手里。

以上这些句子的可省略部分，如果说话或行文时不将它们略去，语句必定会欠简洁、活泼，并且与习惯不合，使人听了刺耳，看了不顺眼。

此外还有广泛性或自明性省略，如前第十三节所说的没有主语的有无句便是。又如“室内禁止吸烟”，是谁禁止的，不说也自然明白，禁止谁吸烟呢，那又非常广泛，所以“索性都不说出来”。同样的句子如：

我们要埋头苦干。（干的事情是任何事）

学习！学习！再学习！（学习对象很广泛）

壁上挂着一幅古画。（谁挂的，不必说）

河上架着板桥。（谁架的，不必说）

以上所谓省略的句子，都是就语句内容看去，暗含了那些未表出的成分的。其实在写作的时候，人们并不曾有意省略，而是根据语言习惯写去，在不知不觉之中省略了的。

另外有些句子，因为动词的性质特殊，可以不用主语，或者根本就没有主语。例如“下雨了！”“出太阳了！”这些表示自然现象的句子，是可以不用主语的。又如“现在轮到你做主人了”这句子，“轮”字上面根本没有主语可以装上去。

在记叙文里面，还有些不用述语的句子，例如一篇小说的第一行，就只写了“一个秋天的晚上”这个句子。

习题一五

一　将下面文句中已被省略的字补上去：

吴大堵他老婆一句：“（　）过不了，也得过呀！”

“唉！若是往年，（　）也可以请个医生来（　）把把脉。”

“（　）不要管他啦！（　）随他去吧！（　）

不会怎么样的。”

王家二婶儿说：“（　）怕什么！（　）别难过。（　）许是遇见不正气的精灵了，（　）烧几张纸送送（　）再说啦！”

二　将下边文句中可省的字删去：

农人对牧师说：“我得了一个儿子。”

“我们应该给他起个什么名字呢？”牧师问农人。

“我们应该叫他芬恩——这是照我父亲的名字叫他”。农人答牧师。

“你还有别的事情和我讲吗？”牧师抬起头来问农人。

农人踌躇了一下，对牧师说：“我很希望你亲自给他去施洗礼。”

一六　复句

一个句子，只有一个述语的，就叫做单句。例如（引号内是述干）：

——太阳的第一道光芒，刚刚“射”到天空。

——被露水沉压下来的花儿，戏弄地“摇摇”它们的头。（以上主语各只一个，是单主语）

——我，你，他，都“是”前年到此地的。（这是复主语）

一个句子有两个或两个以上的述语，就叫复句。例如：

——这个学生不但“聪明”，而且“勤奋”。

——他虽然“不是”本班的学生，但是和本班的关系很“密切”。（以上主语共同）

——因为天“下雨”，所以我没有“上街”。

——他既然“不来”，我也“不去”了。（以上主语各异）

上边各复句，每个都包含两个小句子，这种包含在复句中的小句子，叫做“子句”。各个子句之间的关系，是用连词联络起来的，如“不但……而且”，“因为……所以”，“虽然……但是”，“既然……也”都是。这些连词都是两个一套，前后可以互相呼应的（可叫语形连词），但单个儿的连词也有。

复句大致可分为两大类。一类是“包孕句”，例如“他有这么慷慨，是出乎意外的事”。“他有这么慷慨”一子句被包在另一子句中间，而担任它的主语职务，我们可以叫被包的子句做“内句”，包它的做“外句”。内句不能离开外句，假使离开，外句便缺少一部分了。又如：

——我不知道“他有这么慷慨”。（内句作宾语）

——可庆幸的就是“他有这么慷慨”。（内句作补足语）

——希特勒喊过“妇女回到厨房去”的口号。（内句作形容修饰语，就意义说，是同位修饰语，详第十八节。）

——一辆汽车“风驰电掣”般地过去了。（内句作副修饰语）

第二大类是“联合句”，这种句子中间的子句们是依靠因果、同时、先后、比较、矛盾、擒纵、解释等关系而结合起来的。它们彼此互相离开，不是一个包住一个的，例如上面所举“这个学生不但聪明，而且勤奋”等一连几句都是。

不过联合句中间，有一部分，其所含子句在意义上能分别正副的，可叫“正副句”或“主从句”，其余不能分别正副的，就叫“平列句”。例如“因为天下雨，所以我没有上街”，在意义上是上句为副，下句为正，换句话说，就是重点在下句上面，上句不过是修饰下句，把没有上街的原因说明一下，其作用等于副修饰语，这个复句就是正副句。“他既聪明，又勤奋”，两个子句不分高低，这就是平列句。

依我们的语序原则，正副句差不多全是副句在前，正句在后的。但是近来的欧化句法，可以任意把副句放在后面。亏了标点符号的帮助，这个倒装并不致引起误解。现在举例如下（连词用引号标出）：

（1）他没有成功以前，已经勤劳到十分了。（表时间的副句在正句前）

（2）他这几年用功太多，“所以”得了脑病。（表原因的副句在正句前）

（3）只要天气好，他一定要来。（表条件的副句在前）

（4）我们还得做去，“虽然”这事不容易。（表让步的副句在正句后，这是欧化）

（5）我和你谈话一夜，“赛过”我自己读十年书。

【表比较的副句在后，这是常例，这句也可以当包孕句看，就是“我和你谈话一夜”（主）赛过（动）“我自己读十年书”（宾）】

平列句有一部分是子句前后次序可以任意的，例如“有时他出门旅行，有时他在家读书”，把前句和后句调换也是一样（因为上下文的关系，有时也得斟酌应把哪一句先说）。另有一部分，得按照时间顺序分先后，如“……，于是，……于是……”及“……，可是……”的句式。

习题一六

一　指出下列各句中的单句，平列复句，正副复句，及包孕复句：

（1）话一说开了，便引起大家说话的兴趣。

（2）千条万条的柔柳，齐舒了它们的黄绿的眼。

（3）谁知道他刚刚进学校，就生了一场大病。

（4）他最喜欢吃的水果就是梨子。

（5）敌兵吓得魂飞魄散，只恨爹娘少生两只腿。

（6）他不肯出席会议，是我早已料及的。

（7）他真的不到会了，可是这也没甚紧要。

（8）即使这次失败，我还是干下去。

二　上题各包孕句中的内句，哪个当主语？宾语呢？形容修饰语呢？副修饰语呢？

三　请把本节所举正副复句的例句前二句改成欧化形式！

一七 词位

名词（或代名词）在句子里面种种不同的功用，是从不同的位置表现出来的，因此我们应该分别它的词位。词位又称词格，是根据句子里面的成分而分别定名的。如某某词儿当主语用，它的词位就叫“主位”，当宾语用，就叫“宾位”，其他“补位”“形容位”“副位”，照此类推。举例如下：

主位：“学生”读书。

“我”爱他。

宾位：学校招考“学生”。

他爱“我”。

补位：他是“学生”。

敲门的是“我”。

形容位（可分成领位和狭义的形容位）：

我学的是“颜”字。（形）

“学生”时代很值得回忆。（形）

“我”国是世界古国之一。（领）

副位：教师为“学生”服务。

这对于“我”没有多大意义。

德国“鲸”吞奥捷，“蚕”食保南。

上例似乎不必再加说明了，不过有两三点应注意：（一）副位名词前面大半须加介词以资联络。（二）形容位的名词或代名词，有时须附带个“的”字，这和音节有关，例如“我们的国家”就不能少“的”字。还有用在由动词转成的名词之前的，如“我的奋斗”“工作人员的忠诚”等，“的”字不可少，这就是前第十一节所说的句子改短语的第二、三式。（三）形容位包含修饰性和统摄性两种意义（统摄性又可说是领属性，所以叫领位），有时要专门表示其中的一种，便感到在形式上不容易区别。例如“美国的民治的发展”一语，可能是讲美国民主政治的发展，也可能是讲美国的发展带着民主性。如果是前一个意思，“民治”就是统摄性的，换句话说，下面“发展”一词，是属于“民治”的，如果是后一个意思，“发展”就属于“美国”，“民治”不过对“发展”加以修饰。两个意义混在一道，文字的表现便不明了。如果我们采用词儿分写的新办法，可以照下面的样子来分别：

（甲）统摄性：美国　的　民治　的　发展

（乙）修饰性：美国　的　民治的　发展

上面的写法，（甲）是把“的”字当做统摄性的关系词；（乙）是把“的”字当做“民治的”一形容词的语尾。但这个办法，事实上不能采用。于是有人在“的”字的形式上想办法，这就是把统摄性的“的”写“底”，而修饰性的就写“的”，如下：

统摄性：美国底民治“底”发展

修饰性：美国底民治“的”发展

但根据宋儒语录“天下无不是底父母”的旧例，修饰性的“的”应当写“底”，统摄性倒可以写“的”，所以近来冯友兰梁漱溟诸先生已采用这个写法，例如：

（1）各个人“的”见解是一致“底”。——《新原人》

（2）在新理学中，我们称宇宙中“底”心

为宇宙“的”心。——同上书

我们认为，在“的”字形式上的分别还不是很好的办法，因为读音没有不同，在说话的时候还是混淆不清。最好是在专门表示修饰性的时候，加个“式”字或“性”字之类的词儿在那个领位名词后面，例如“美国的民治性的发展”（有人把“之”字表统摄，“的”字表修饰，写成“美国之民治的发展”，这么虽比较可用，但仍不如加“性”字的好，因为“之”字若是普遍的应用来表统摄性，文言气派就太重了），“梁启超派的文章”，“胡适之式的白话诗”等。

此外还得补充一点，就是名词有“述位”，例如“孔子，鲁国人”，这是把“鲁国人”充当整个述语。又如“满洲人不久也就成为中国人，比中国人更加中国人了”，这是把“中国人”当动词即述语干部用。文言文里面，这种用法很常见。

不但名词，其他词儿也可以变换词位，可依名词之例去类推。

习题一七

一 指出下列各句中名词及代名词的词位：

（1）酒是不好的东西。

（2）我要做一个大诗人。

（3）只道是夜去明来，倒有个天长地久。

（4）我明天来访你，你在家等候着我。

（5）自造一个宁静的幻境，把自己与世界隔离起来隐士一下；或者过分地偏爱了自己，为了别人的赏识而英雄一下，都是个人主义。

二 上题各句中的“的”字，试照冯友兰式的写法改写一下！

一八　同位和兼位

修饰语之中有一种貌似形容性而实际意义和它的基词是同指一人或一物而且范围相等的，我们叫它做同位的修饰语。

例如在“罗斯福”前面加“美总统”做修饰语，这个美总统与罗斯福所指的同一人，我们就认为它是同位的修饰语。如果在“广东省”前面加上“中华民国”做修饰语，这个修饰语就不和广东省同位，因为“中华民国”的范围比“广东省”大，它们不是同一物。“中华民国”是“广东省”的领位修饰语。

如果某词充当主语的时候，我们就说同位的修饰语同在主位，其他同宾位，同补位，同领位，可以类推。举例如下：

同主位：‘英远东总司令’‘空军上将’“普

法姆”赴马尼拉。

同宾位：胡大使谒见“美总统”“罗斯福”。

同补位：那人却是“智多星”“吴学究”。

同领位：齐亚诺是“意大利首相”“墨索里尼”的女婿。

又例：

“中华民国国父”“孙中山先生”的陵墓在南京。

（上例单引号表同位修饰语，双引号表同位基词）

同位修饰语有时是一个子句（或短语）。例如“他母亲会来的消息使他快活”这个句子，其中“他母亲会来”是一个名词子句，这子句是和“消息”同位的。因为两者同指一件事物。又例：（一）希特勒曾经喊出“妇女回到厨房去”的“口号”。（二）这大概是“消化不良”的“缘故”。

凡同位子句都是名词子句，这是从意义上命名的，拿上例来说吧，“消化不良”不是形容“缘故”，指出这“缘故”不曾好好地被消化，而是说明“缘故”的内容的，因此，它不是“缘故”的形容语，而是和“缘故”范围相等的同位语。

同位修饰子句和它的基词之间，用一个“的”字来联络，所以在结构形式上看，它和形容子句并没有分别。如果用“的”字形式来分别，就应当采用表示统摄性（领位）的形式，而不用表示修饰性的形式。

关于词位的现象，还有一种“兼位”。

例如“陈君问他最喜欢什么人的小说”这个句子中间的“他”字，一方面是“问”的宾语，另方面是“喜欢”的主语；换句话说，这个句子是包孕复句，“他”字是外句的宾语，又是内句的主语。因此“他”字兼有主宾两位，并且有联络两个子句的作用。

现在我们拿这个句子和第七节的四分句乙式“我叫李君来”及第五节所举带两个补足语的例句“我的话引起他们发笑”及“大家推举张君做主席”比较一下，这三句的宾语也是兼位词，因为补足语所表示的动作，正是宾语所发生的。

就形式上说，“陈君问他最喜欢什么人的小说”也可以作为四分乙式的单句看，即主语（陈君）——述干（问）——宾语（他）——补足语（最喜欢什么人的小说），但意义上和“我叫李君来”等三句都不是同类的，因为陈君所问的是“他最喜欢什么小说”这整个的事情，而“他”的喜欢小说，并不待陈君的“问”而后喜欢的，喜欢这动作全属于“他”，而不受“问”的影响。所以我们不好把“最喜欢什么人的小说”当补足语看。也就是不好把这句子当四分式的单句。至于前第五及七节的三例内，后一动词的动作都是受前一动词（或动复语）的影响的，所以应该认作单句，而将后一动词（或动复语）当补足语。不过有些句子，须从上下文去决定（也就是从段落决定）它的意义，仅仅从它的本身，还是无从决定的。

这种句子有些形成很长的连环，例如“王先生请李小姐教王阿宝唱歌”。

习题一八

一　指出下边各句的同位修饰语和它们所同的位：

（1）英王乔治第六电贺盟军攻占西西里。

（2）张君爱读希腊哲学家柏拉图的书。

（3）基督教会仇视首倡地动学说的天文学家

哥白尼。

（4）《互助论》及《面包掠取》两书的著者是俄国无政府主义者克鲁泡特金。

二 指出下列句子中的兼位词，并说明其所兼的词位：

（1）他怕哥哥轻视他年幼。

（2）他听见别人称赞他几句，很欢喜。

（3）他父亲叫他去学印刷业。

（4）大家赞成他的话诚实。

三 上题各句，哪些是复句？

一九　语气

句子有四种语气:(一)“感叹”，就是表示喜怒哀乐爱憎等等情感的语气;(二)“希求”，就是命令或请求的语气;(三)“直说”，包括肯定、否定和不确定的语气;(四)“疑问”，包括询问和反问的语气。例如:

【感叹句】

中华民国万岁!

哎呀! 天哪!

【希求句】

走吧! (命令)

请走这边! (请求)

【直说句】

帝国主义侵略殖民地。

苏联是我国西北的邻邦。

一年有四季。

霜叶红于二月花。

（以上肯定）

鲁迅不是军事家。

我不是不喜欢喝酒的。（双重否定，等于肯定）

他没有财产。

这碗辣子不怎么辣。

（以上否定）

他也许要来的吧。

这人似乎有点书生气吧。

也许她就是老李的太太。

你恐怕太诚实了一些吧。

（以上不确定）

【疑问句】

是他吗？

真的是他？（以上询问）

难道是他不成？（反问肯定）

这不是很明显的吗？（反问肯定）

从以上各例句，可知表示语气的方法有两个：（一）用语助词表示；（二）用标点表示，但语助词不见得每个句子都用。而且语助词的用法也相当混乱，比方“来吧”的“吧”字，可以表示“希求”，也可以表示“直说”，也可以表示“疑问”，仅仅在声调高低上去分别。又如“呢”字，在“他去了没有呢？”句中表示疑问语气，在“他是不去；我呢，一定要去”，句中表示直说句中一种强调的停顿，就是强调“我”字。因为这样的“一字数用”，假使没有标点符号的帮助，意义就会混淆不清了。

我们习惯上用标点符号表示语气的方式如下：

（一）直说句用句号（或称结点），即“。”

（二）希求句同感叹句都用感叹号，即“！”

（三）疑问句用疑问号，即“？”

从上述的理由，不管一个句子里面有没有语助词，标点符号还是要用，因为要这样才能够把语气表示得明白。你不要以为，中国文有了语助词，就可以不用标点；古书的难以了解及各家解释的不一致，缺少标点就是重要原因之一（例如《荀子·正名篇》“异形离心交喻异物名实互组”，从前作三个四字句读，近代有人改作六字句两句读）。

在使用标点时，我们必须注意疑问句和直说句的分别。我们不能一看到句子中间有了疑问词为“什么”“谁”之类，就认定是疑问句。例如“这不是什么难事”“谁也看不出他的破绽来”这些句子，虽然用了疑问词，并不是有疑问，还是直说句，句末只能用句号。即使意思是有疑问的，但如不是问人家的语气，我们还得当做直说句看，不确定的语气就是这样的。又如“他问他的哥哥为什么不替他买书”这样的句子，是旁人叙述的口气，也不能用疑问号而只能用句号。至于在意思上是直说而语气却是疑问的，例如“难道是他不成？”“这不是很明显的吗？”实际上等于“不是他”及“这是很明显的”，但因为说话的口气是疑问，所以还是要用疑问号。“希求”的意思也可以用疑问句来表示，所以“你明天来，好不好？”标点也和上面一样，不用句号而用疑问号。

习题一九

一　指出下列各句各属于何种语气：

（1）中华书局在什么街?

（2）我知道中华书局在什么街。

（3）你怎么弄到这个样子了！我的孩子呀！

二　请造三个疑问句，分别表示“肯定”“否定”及“希求”的意思！

三　将下列询问句改成旁人代述的口气（注意改标点及代名词）：

（1）老张问老李:“你是不是看见我的歌曲集呢？”

（2）老李反问老张:“你需要的歌曲集，是不是绿封面的？”

二〇　词的虚实和发展

我国未产生现代文法学以前，对于词类的分别是分成“虚字”“实字”两大类的。这个虚实对照的看法，在中国语文里面的确是很适当的。虚和实的分别是比较的。比方拿动词和名词比较，名词代表实体，动词代表作用，名词就是实词，动词就是虚词。若是拿动词和副词比较，副词又不如动词的具体，所以动词又是实词，而副词又是虚词。大致说起来，名、动、形、副等词类可说是实词，介、连、助、叹以及代名词可说是虚词。实词是文句中的意义成分，虚词是文句中的文法成分（形式成分）。大概实词的意义，单独看去，也能明了，如天、地、人、物，一见便知其所代表的是什么。虚词的作用便须在文句中看，才能明白，如之、乎、者、也、的、呢等字，单独看去，既不是代表有形的事物，也不是代表无形的事物，便无从了解，只有在文句中才显得出它们的作用来。

为什么代名词也是虚词呢？因为代名词虽然是和名词同等的实体词，但是本身没有独立的意义，意义是随着它所代的名词而决定的，所以仍然只是虚词。在历来文字中，代名词的复杂性，并不减于其他的虚词，如“之”“其”“者”“所”等字的种种作用，便可证明。

因为虚词的作用比较不容易弄清楚，虚词又是文法成分，所以文法研究上应该多注意虚词方面。尤其学习文言文，虚词的研究必须放在第一位。

最原始的语言大概是词句不分的。一个单独的语词就算是一句话。在这样的一句话里面，体与用兼全，虚和实统一，词性是混沌的。曾有人说过最初语言是感叹词。不错！在一群人干活儿的时候，“哼！哼！呵！呵！”这可能是最早的言语形式。但这种独词句可不能和现在的感叹词一样看待。因为这中间除发抒情感外，还代表了某些实在的意义，比方“一齐用力！”或“停一停！”之类。又有人说过，最早的名词是依照一件东西的特性或动作而决定的，例如“日者实也；月者缺也”，就是说，代表太阳的“日”字，是从其常常充实饱满的形象而定名的，故读音为“实”（现在江南话的“日”，我们听起来就全是“实”），月亮有圆有缺，故“月”字读音像“缺”。这个说法很对，但我们却不便因此断定在“日”“月”两词儿未产生以前就有个比较抽象的“实”“缺”两词可以根据。比较合事实的推断，就是认为最初“实”“缺”两词儿和“日”“月”两词儿是不能分开的，“日”“月”固然是根据“实”“缺”而得名，“实”“缺”也是从“日”“月”而来的词儿，开始时人们以为只是“日”“月”有“实”和“缺”的分别，后来发现旁的东西也有“实”和“缺”的分别，于是便把“日”“月”当做叙述别的东西那种“实”“缺”特性的词儿，而“日”“月”在这种场合便变成了“实”“缺”了。这样，原来虚实统一的两个词儿“日——实”“月——缺”，就分化为四个词儿了，这四个词儿是虚实对立的。同样，那种最早的感叹词，也必定经过一番分化的过程，才逐渐变成现在这样仅表情感的虚词。而跟着名动分化以后，由名词产生较抽象的代名词，由动词产生较抽象的修饰词（例如“红”“快”，最初必定只是具体地说某个物件红，某个动作快，后来才用来形容一切别的红东西及快动作）。这些分化都是在句子复杂化的过程中形成的。在句子更复杂化的时候，其他一切虚词也都产生出来了。大致说来，关系词大半是动词转化的（如一句中有两个动词，次要的便成了关系词，见第二十五节）。有些却是助词转化的（助词之在句子中间表语气停顿的，转化为关系词）。而助词则大致是感叹词分化出来的，因为语言简单时，许多难以尽量吐露的情意，只能用抑扬咏叹的声音来帮助表示，我们看古书上许多助词连用，如“也欤哉”“也乎哉”等，便可证明。

习题二〇

一　在同一词类中，有些词比较具体，有些词比较抽象，因此也有虚实的分别，现在看看下列名词，比较它们的虚实：

牛　动物　人类　圣贤　孔子　道德　仁义　笔　笔调　可能性　高度　全体　部分　理论　水　纹理　身体　道路　道德经

二　从前对对子有所谓虚实对（虚对虚，实对实），试用下例说明之，并分析这两个例句的词类！

（1）江间波浪兼天涌，塞上风云接地阴。

（2）悦亲戚之情话，乐琴书以消忧。

二一　几个助词的比较

一、“呢”和“吗”这两个助词用在疑问句子的末尾，各有一种特性，我们不要弄混乱了。现在先举出几个例句看看：

用“呢”字的例：（一）这是不是可靠呢？（二）那是什么东西呢？（三）他会不会来呢？（四）好孩子！你为什么瞒着我们呢？（五）它将北进呢，还是南进呢？

用“吗”字的例：（一）这是他的东西吗？（二）这不是显然矛盾的见解吗？（三）他来了吗？（四）你能看见墙那边的花吗？（五）难道是他的吗？

从上面的例子可以得出两个规律。就是：（一）用“呢”字的句子，除去“呢”字仍然包含疑问的意思；

用“吗”字的句子，除反问语气外，除去“吗”字便成了肯定或否定的直说句。如果说“这是不是可靠吗？”或“这是他的东西呢？”便不合这个规律而成了不通的句子。（二）选择疑问句用“呢”，反问句用“吗”或“呢”。

助词不一定用在句末，有时也用在句中，即如“呢”“吗”两字，也可以这样用：“他是不去的；我呢，还是要去。”“他是不来的了，那么，我再找别人去。”这两个例都没有疑问的意思。

二、乎、哉、耶、欤、诸　这是文言文常用的疑问助词。我们只就近代文言常用的意义说，古书上的特别用法不说。现在举几个例说说：

【乎】（一）北进乎？南进乎？（有些白话文也有这样的标题，翻成白话，应作“北进呢？南进呢？”）（二）盍（何不）驰往油画院，一观普法交战图乎？（翻成白话：怎不跑到油画院去看看普法交战图呢？）（三）谁知吾卒先汝而死乎？（翻成白话：谁知道我终于比你先死呢？）（四）汝今畏乎？（白话：你现在怕吗？）

【哉】（一）岂始事所料哉？（白话：难道是工作开始时所预料的吗？）（二）宁忍坐视第二次亡国惨状哉？（白话：还忍得住袖手旁观第二次亡国的惨状吗？）

由上例可见“乎”略略相当于“呢”，同时又兼了“吗”的助询问（非反问）语气的作用。“哉”则相当于反问语气中的“吗”字。

【乎哉作感叹句助词】（一）妙哉妙哉！（二）汝不能舍吾，其时时于梦中得我乎！（白话：你舍不了我，也许常常在梦中看到我哟！）（三）饱食终日，无所用心，难矣哉！（成天吃饱了饭，没有什么运用思想的事情，想做好人就很难呀！）

【耶】此何如事耶？（这是怎么一回事呢？）

【欤】子非三闾大夫欤？（你不是三闾大夫吗？）

【诸】有美玉于斯，韫椟而藏诸？求善价而沽诸？（有一块完美的玉石在这儿，关在橱里藏起它呢？讨个好价钱卖掉它呢？）

以上三字，“耶”字用的时候较多。“诸”字是“之乎”的合音字，“藏诸”“沽诸”改成“藏之乎”“沽之乎”也是一样。此外“者”“也”两字，亦可作疑问助词。例如“何也？”“此何可者？”

三、也、矣、焉这三个助词都用在文言文直说句的末尾，但“也”字多用在是非句（判断句），“矣”“焉”多用在动作句（叙事句）。例：

【也】（一）巴津西，法兰西著名之美术家也。（也字相当于白话的是字，本句可译成“巴津西是法兰西著名的美术家”。）（二）此非尔所知也。（这不是你所知道的。）

【矣】相当于白话的“了”字，是表示动词的“完成时”，这种词有几种用法：（一）表示“已然”的动作。（二）表示“推断”的动作。（三）表示“假设”的动作。例：（一）功已成矣。（二）来日，魏王必班师矣。（明天魏王会把军队调回去了。）（三）苟无先生，一网尽矣。（假使没有先生，大家都完了。）

【焉】相当于白话的“哩”，或相当于文

言文的“于此”。例：（一）故周生有乃父风焉。（所以周生有他父亲的作风哩。）（二）张君，粤人，商于桂，遂家焉。（张君是广东人，在广西做买卖，就在这儿住家。）（三）秦桧戕杀主战派，岳飞死焉。（焉就是死于此，全句语译是：秦桧戕杀主战派，岳飞因此死了。）“焉”字是表示动词的“进行时”的，这种时是表示“持续”的动作的，例如张君在桂住家是持续的动作。

直说句还有表示限止的助词，比“也”字的判断更加多了一层限定的意思，即文言文的“耳”或“而已”，语体文的“罢了”。例：（一）彼酒色之徒耳。（二）彼不过酒色之徒而已。（三）他不过酒色之徒罢了。

习题二一

一　将“呢”或“吗”加在下列句子的末尾：

（1）他是姓张的（　）？

（2）你们为什么把他赶走（　）？

（3）这不是很好的（　）？

（4）昨天讲演的是他（　），是你（　）？

二　将“也”“耳”“矣”“焉”加在下列句子的末尾：

（1）此非吾之本意（　）。

（2）吾闻某先生之名，遂往访（　）。

（3）母死，爱我者又少一人（　）。

（4）别无良策，唯有冒险一试（　）。

三　“也”字在口语中用作什么词类？

二二　语助词和语头语尾

助词大半用在句子的末尾。但也有用在句子的中间或开始处的。文言文当中有许多这样的例子。

（一）用在开始处的。从前称为“发语词”，没有什么意义，不过在说话时配配声音，使语句音节整齐，念起来好听罢了。例如：

【惟】惟十有三年春，大会于孟津。

【言】陟彼南山，言采其蕨。（登那个南山，摘采那儿的蕨。）

【云】云谁之思？西方美人。（思念谁呢？那西边的美人！）

【载】乃生男子，载寝之床，载衣之裳，载弄之璋。（生了男孩子，使给他床睡，使给他衣裳穿，给他玉雕的“璋”玩。）

【夫】 夫天地者万物之逆旅。（天地是万物的旅舍。）

“夫”字原来是指示代名词，相当于“那个”，例如“是故恶夫佞者”（因此憎恨那个嘴里说得漂亮的人）。又用在句子末尾是表示不确定语气的助词，例如“唯我与尔有是夫”（只有我和你有这一点吧）。后期古文又用它表示另一段议论的开头，放在句子开首处，有些文法书叫做连词。但这儿的例子，是用作一篇的开首，似乎没有什么可连。因此我当它发语助词。过去文言文不提行分段，所以在一段开始，需用这种发语助词。

（二）用在句子中间的。例如：

【云】 岁云暮矣。（一年又快完了。）

【言】 静言思之。（静下来想想。）

【其】 北风其凉。（北风冷。）

以上是文言文，白话文也有，不过用得很少，如：

【将】 宋江从地窨子钻将出来。

【也】 你再也休提。

【哉也】 打杀他也觉冤哉枉也。

【者也】 他相信拿破仑只是一位平者常也

的法国人。

这种语中助词和上面的发语助词，都可以叫做“配音助词”。这样的助词在文言文里面用得比较多，大约是因为文言文里面，单音词太多，需要加些配音的字来帮助说话的节奏。

配音助词如果单独和一个词儿结合，并且相当固定，便可叫做“配音词素”。古代人名有“尹公他”“介推”写成“尹公之他”“介之推”的，“之”字是配音助词。这种例子和“冤哉枉也”“平者常也”一样是助词与单个词儿结合，不过还不固定。白话文里面常用的是那些和单个词儿结合得比较固定的配音助词，例如：

【阿】 王阿大　阿猫　阿狗　阿兄　阿Q

【老】 老大　老张　老哥　老婆

【子】 桌子　椅子　梳子　面子

【儿】 猫儿　狗儿　这儿　那儿　老头儿

【头】 罐头　石头　押头

以上“阿”“老”添在词儿前面，“子”“儿”“头”添在后面，可以分别叫“接头词素”“接尾词素”，照一般说法，就是“语头”“语尾”。

语头语尾，中国语原本没有的，但现代语复音化趋势很显明，过去若干语助词自然逐渐变成了语头语尾。

语尾词比较语头词多些。它们逐渐发展到超过配音的作用。有的表示所附随的干词（即语根）之修饰性、时间性等。例如作为形容词语尾之“的”，副词语尾之“地”，动词语尾之“了”和“着”，名词代名词语尾之“们”，举例：

美丽“的”女郎，缓缓“地”行走。（形尾，副尾）

他已经来“了”。（表完成时）他正走“着”。（表进行时）

我“们”去。人“们”不注意这个。

这种语尾词，文言文也有，例如：“巍巍乎”（高的样子）、“洋洋乎”（广泛的样子）、“大哉”、“美哉”、“毅然决然”、“浑浑焉”、“噩噩焉”（两词形容原始人不自私）等词末尾的“乎”“哉”“然”“焉”等字，都是副词语尾。

【附注】“了”字用在一句的末尾，有时是表示动作的开始，而不是表示它的完成。例如“吃饭了”，“了”表示开始吃饭的趋势，和“吃了饭”不同。

习题二二

一　指出下列各复音词的干词和语尾词：

晓得　觉得　认得　值得

偶然　忽然　安然　恍然

二　若干关系词系由助词转成，下列各语中的关系词其实就是配音助词，请把它们指出来！

从今以后　圈子以外

李先生之兄　张君的笔

吃饭而外　为着求学而来

化合而成

二三　代名词

代名词有些指人的。如你、我、他是指人的通称。阁下、您、老哥、君、先生等是对别人的尊称。鄙人、兄弟、小弟等是对自己的谦称。在文言文中，“你”的同义字有“尔”“汝”“子”“若”“而”“乃”（这三字是用在领位）等，“我”的同义字有“余”“予”“吾”等，“他”的同义字有彼、伊、渠等。至于“他”的尊称和谦称，过去尤其复杂，如尊称对方的他，有令尊（你的父亲）、令堂（你的母亲）、令兄、尊夫人、令郎（你的男孩）、世兄（同上）、令爱（你的女孩）、宝眷、贵价（你的听差）等，谦称己方的他，有家严（或家父）、家慈（或家母）、舍弟、贱内、拙荆（同上）、小儿（也有叫小犬，或豚儿的）、敝戚等。现在一般人对于这些复杂的称呼渐渐不大使用了。不过对于对方的他，统用一个“令”字或“尊”字或“贵”字去修饰，对于己方的他，用“敝”字“贱”字去修饰的称呼，还差不多在通行。

代名词的复数，现在是添加“们”字来表示，从前文言文里面是添加“等”“辈”“曹”“侪”等字。

文言文没有专门代替动植物及一切无生物的代名词，但“彼”“其”“之”等字通用于人或物。白话文里面有个专门代物的“它”（或他），系指中性，如分男女阴阳雌雄牝牡，便仍得使用“他”（阳性）“她”（阴性）两字。白话文把“他”字分阴阳中三种性别，是受外国文影响的结果，这是中国文欧化的一点（有些用“她”代国名，那未免过于欧化了）。

有些代名词所指的事物很广泛，什么都可以代，只有远近的分别，例如“这个”“那个”及文言中的“彼”“此”（此的同义字有是、斯、兹等）。又文言的“其”“之”“所”“者”及白话的“的”字，所指也很广泛，并且必须和上下文连起来看，方才可以略懂其中意义，它们是代名词中的最虚的虚字，等一会儿详细解释。

还有些代表不定的人的称呼，如“某”“某甲”“某乙”以及与私有名词形式相同的“乌有先生”“无名氏”等，就形式说，都可以归在名词项下，不算代名词。最常见的不定人称代名词是“者”“的”及“谁”。

“谁”字又可以用在疑问句，和“怎样”“什么”“哪个”“哪里”都称为疑问代名词。“哪个”“哪里”原本和指示代名词“那个”“那里”一样写的，但读音上有分别，即作指示用的时候读去声，作疑问用的时候读上声。现在在写法上也加以分别，就是疑问加口旁，指示不加，这也是白话文欧化后的新规定。

指示代名词及疑问代名词后面加“的”字，如“这个的”“这里的”“谁的”……便是领位，如果后面跟随了名词，它们（不加“的”也可以）就变成指示形容词和疑问形容词。有时候“的”字的加减对于意义要发生影响，例如“这样东西”是指示的意义，“这样的东西”是性态的形容。

人称代名词中有“自”“己”（连用就是“自己”）两字，叫反身代名词。和动词联合时，“自”字常常在前，如“自爱”“自治”“自重”等。“己”字常常在后，如“爱己”“责己”“克己”“体己”等是。

"的"字不能单独作代名词，前面加名词、形容词、动词或动词语便可作代名词用，例如"吃的、穿的、用的"是代物，"张先生的"、"老的、少的、村的、俏的"是代人，"可忧愁的"、"令人愤慨的"是代事。"者"字照老的习惯，不能直接加名词在前，其余和"的"字也差不多。上面的例有一部分可改成"老者、少者、村者、俏者、可忧愁者、可愤慨者"。但"张先生的"不能改成"张先生者"。"吃的、穿的，用的"要加"所"字，改成"所吃者、所穿者、所用者"（或加"所"而不用"者"也可以，可见"所"也是个代名词，不过它的位置必在动词前面）意思方才不变；如写作"吃者、穿者、用者"，意思便等于白话的"吃饭的、穿衣的、用东西的"了。

"其""之"作代名词用，不相当于"的"，而相当于"他"。"其"专用于领位或子句中的主位，例如"我不明其本意"（领位），"我遇彭君，知其来此公干"（子句的主位）。"之"专用于宾位，例如"此敌探也，我欲杀之"。

习题二三

一　把下面各句翻译成白话文：

街前有一卖花者，其所卖为白兰花，此为吾所不欲购者。吾之所欲，彼之所无也。

二　把下面句子译成文言文：

（1）郑君的绘画在同时各画家作品中是最精美的，但刘君的比较郑君的也相差不远。

（2）那个人，我不知道他的姓氏，也不知道他到这里来的目的。

（3）他看见一本新书，便拿钱买了它。

二四　数量词

关于数量的词如一、二、三、四……十百千万亿等，可简称为数量词或数词。凡物可以一个一个分开来计算的，我们都可以把数词加上去。不过在语体文里面，数字下面一定要带着一个尾巴，比方“这只羊有四条腿”，我们不说“四腿”而说四条腿,“四”字后面便带了“条”字的尾巴。这个尾巴可以叫做“量词”或“单位词”。其他如“一个梨子”“三张纸”“五封信”“两根绳子”……例子很多，这是语体文的特点。用的时候要留心，不要违反一般习惯，比方说“一张梨子”“两条人”这都是不对的。在文言之中，尽可以用“一梨”“两绳”“三纸”“五函”来表现。

名词中有一种“物质的名词”，所表示的东西是不能分开来计算的，比方“水”，你只能说“一桶水”“一瓢水”而不能说“一水”（文言文中有所谓“一山一水”，那个“水”字是表示河流的，不是指“水”说的），因为水的本身不能计数，一定要用桶瓢之类的容量来作为计数的单位。其他如讲重量、长度、面积等，都是一样。在这种场合，数词下面所带的尾巴更有它的重要性，便是文言文里面，也是不能不用的。上面“三张纸”的例子，严格说起来应该属于这一类。

这种形状意念，有时候还可以用在抽象的事物上面，例如“一线希望”“一道命令”“一股勇气”“一种热诚”“一门亲事”“一团和气”“一场噩梦”等。

数词如果用在表示次序的场合，就叫做序数词，比方第一、第二、第三……等等使用序数词的时候，决不可偷懒把第字省去（除非在公众习惯上已经省略惯了的，例如公元一九四一年便知是第一九四一年而不致误会为共有一九四一年），因为我们应当努力使序数词不至于和普通计数词混淆，意义才会明白。平常我们为了分别清楚，常常说，“这里军队有三个师”而不说“有三师”，就是要免得人家误会为“第三师”。又如说“三个月”，就免得与“三月”混淆，说“四个钟头”，就免得与“四点钟”混淆。把数字放在名词后面，如“卷一”“卷二”等，也是序数词的一种表现法。

平常用得多的数量词还有一种不定数词，比方说“三五天”“十来个人”“百把块钱”之类。还有许多成语，包含数字的，例如“一塌糊涂”“乱七八糟”“三令五申”“三妻四妾”“五颜六色”“不管三七二十一”……等，使用的时候要依照习惯，不可任意改变，写成“乱三五糟”，“二塌糊涂”……去了。

数词中有一种倍数的表示法，如“加倍”“胜过十倍”等，是常用的。还有一种成数或分数的表示法，也是常用的，如一般人常说“十有八九”“十分之八九”等。古书上的分数词，把名词摆在分母下面，例如“四分日之一”，在现代文中是摆在分子的下面，例如“四分之一日”。又，从前的人常用“十之八九”“十之二三”等等成数的表现法，而现代人则喜欢说百分数，例如“占全国人口百分之八十以上的农民”，“这件事成功的可能性已有百分之九十的把握”等。

有些强调语气的说法，如“百分之百的可靠”，“十二万分的感谢”等，只是修辞上的作用，并不是计数。

又如唐诗上的“白发三千丈”，也是这样。

有时候说话的人对数量的多少并不注意，那么便只用单位词，而略去上面的数目词。例如“这里画只猫，画只狗”，注重的是猫狗，不是数目，便只用个单位词“只”，不用数目词“一”。如果说“这里画一只猫，那里画两只猫”，便是注重数目了。又如“家里没个好莱蔬，不恭！”“我看老爹像个斯文人”。这里面的单位词“个”字上也没有加数目词。

数量词可以当动词、形容词、副词或名词（也可说代名词）用。例如：

（动）这孩子“三岁”了。

（形）这是个“三岁”的孩子。

（副）我已经走了“十多里”。

（名）这“一盆”是我自己种的墨菊花。

习题二四

一 在习惯上，有许多序数词并不写成“第……号”的形式，你能举出几个例子来么？

二 试用百分比的方法来说明日常生活中的随便

那几件事情（如本班人数与全校人数的比较，入学考试取录人数与全体与试人数的比较等等）！

三　指出下列数量词的词类：

（1）诸葛亮三气周瑜，七擒孟获，六出祁山。

（2）到会的共有多少人？

（3）到会的人不过十几个。

（4）再饮了这一杯！

二五　介词和连词

介词是在副位的外动词的专名。例如“姊姊在学校”这个句子里，“在”字是主要动词，但“姊姊在学校读书”这个句子里，主要动词是读，而“在学校”这个短语转移到副词的地位，是修饰“读书”，指明读书地点的。这“在”字便转成了介词。同样“哥哥在池边”句中的“在”字是主要动词，到了“哥哥在池边钓鱼”句中，“在”字就转到介词地位，它和“池边”合成一个修饰语，对“钓鱼”的地点加了限制。像“在”字的这种用法，就是领导一个修饰语来限制动词的动作地点时间或其他条件，在一般文章中是用得很多的，因此形成了另一个词类，叫做“介词”。名词性的词语，一经介词的介绍，便变成了副词性。

介词必定有被介语，这被介语也叫宾语，因为它是由外动词转来的，而外动词是必有宾语的。例如“王五拿刀杀人”句，述语是“杀人”，“拿刀”便是指示杀人工具的“修饰语”，这个修饰语是由外动词“拿”和它的补足语“刀”造成的，我们便可把它看做副短语，而“拿”字便是介词。“刀”字是介词的宾语。

以上所举例句，都是包含两个动词的，假使我们把前一个看做主要动词，那末后一个是否便是介词呢？例如“姊姊在学校读书”句，假使以“在学校”为主，是不是“读书”便成了副短语，它的作用不过是把“在学校”的目的附带申明一下罢了呢？依据我国文字组织的一般规律，修饰语常常是在基词（被修饰语）的前面，所以我们平常是把前一个动词当介词看。除非从上下文看，必须把前一个作为主要动词时，才改变我们的看法。在平常，“姊姊在学校读书”这个句子，如果要表示第二个意义的话，我们就得把它改造为“姊姊为了读书住学校”或“姊姊为了读书而住学校”。

像上例，在被介语“读书”的前面有个“为了”，后面又有一个“而”字，合起来发生一个介词的作用，这是一个短语形的介词，我们便叫它做“语形介词”。这样的介词还有很多，例如“因……而”“除……外”“在……中”“在……之下”“在……上”“以……而”“当……的时候”等。嵌在中间的就是宾语或被介语。被介语要是词儿或短语，介词才能够当做介词看，如果是个小句子，这些介词又得改称连词了。举例如下：

（1）“因为”或“因为……而”

姊姊“因为”读书“而”住学校。（介）

“因为”霍乱流行，卫生处劝告市民打防疫针。（连）

（2）“当……的时候”

他“当”民国四年“的时候”就到北平去了。（介）

“当”我来“的时候”，他就走了。（连）

介词所介的短语是副词性的，由介词变成的连词所连的子句也是副词性的。这种短语或子句，有时是表明动作的时间或空间，有时是表明动作的原因或目的，有时是表明动作的条件，方法（如用什么工具等），程度或和旁的事物的关系，有时是表明动作的对象，因此介词和它变成的连词也有种种不同。例如“在”“在……上”“从”“自从”“经过”“向”“对”“到”等是时空介；“因”“为”“因为”“为了”等是原因目的介；“把”“用”“照”“依”“除……外”“和”“跟”“像”“像……一样”“比”“过”等是条件介。以上各介词，只有少数不能变连词。由这些介词转成的连词，都是联络正副句的，也分为时间连、因果连、假设连、条件连、让步连、比较连等。

习题二五

一　在下列句中空白处填入适当的介词：

（1）学生们……食堂吃饭。

（2）那个杂志……印刷问题延期出版。

（3）你……哪里去？

（4）他一定是……病不能来。

（5）张将军竟……国牺牲了。

（6）这孩子……他哥哥还高大些。

二　在下列句中空白处填入适当的被介语：

（1）你凭……反对他？

（2）请你跟……讲一讲！

（3）我想把……买了它。

（4）他有些儿替……担心。

（5）为了……他特地向……道歉。

（6）我不像……一样喜欢吹牛皮。

二六　的字的用法

“的”字在语体文里面用得最多。除作为“目的”“的确”等的词素外，许多地方都把它当作单词（或语尾）用。它所属的词类应当是助词，大致和文言的“之”字相当。它原来的用处，只是在句中修饰语的下面表示停顿，使语气舒缓一下，后来便成表示修饰关系的词儿了，再后又兼了代名词的作用。分述如下：

（一）的字可以放在名词代名词下面表示领位。例如“我的书”“你的笔”“张君的纸”“中国的土地”等语中的“的”字。这可以译成“之”字的。

（二）的字可以放在形容词下面作语尾词，例如“美丽的风景”“丰富的物产”“伟大的人物”等语中的“的”字。它又可以放在形容语或形容句后面，作为关系助词，例如“在我旁边做工的人们都是青年”“他煽动战争的原因就是要重分殖民地”句中的“的”字。这种“的”字，都可译成“之”字。

（三）的字可以放在副词下面作语尾词，在副短语、副句下面作关系助词，例如“一个女郎莫名其妙的跑开了”“张君毫不在乎似的说下去”“战事像火一般的蔓延起来了”“火车风驰电掣般的过去了”等句中的“的”字。这的字，大致都不能译成“之”字。

（四）上承领位名词或形容语的“的”字，下面的名词如果省略不说，“的”字就转为代名词，例如“在我旁边做工的都是青年”“这枝笔是张君的”“这本书是他著作的”等句中的“的”字。这些“的”字都不能译成“之”字。上承形容语的“的”字可以译成“者”字，如“在我旁工作者”。如果所代的词系形容语中动词的止词，译文言时便须加“所”字在动词前面，后面的“者”字是可有可无的，如“此书乃伊所著者”或“此书乃伊所著”都可以。至于上承领位名词的“的”字，就不能译“者”字，须加“所有”两字，例如“张君的”不能翻译“张君者”，须翻译“张君所有者”（或“张君之物”），不过有些名词用“者”作语尾词的，却不依这个规律，例如“三民主义者”“世界语者”，这些“者”字上面也没有包含“所有”的意义，而是“信仰者”或“研究者”或“提倡者”的缩写。

（五）“的”字又可以用在一句的末尾，作帮助全句语气的助词，例如“糖是甜的”“我昨天去过的”或“我昨天是去过的”，有“决定”的意思或加强语气的作用，这“的”字不能译“之”字或“者”字。

（六）“的”字又可以作为关系助词，联络动词和附在动词后面的修饰语。例如“这件事弄的没个好收场”“他画的真好”句中的“的”字。这种“的”字也可以写作“得”字。这种“的”字多半不能译成“之”字，但有些可以，例如“他的病沉重得很”可译做“伊之病沉重之至”。

“的”字本是助词，所以有时省略了也不致改变语句的意义，许多带着修饰语的名词语，如在习惯上已经结合成为语形名词，或不加“的”字，音节更整齐时，就可把“的”字省略，例如“青山”“绿水”是音节整齐的短语，“妇女运动”“爱国志士”是习用的语形名词。又如连续有许多“的”字时，除最末一个外，大概都可省去，例如“我们应该了解战时的乡村民众的动员的工作的重要性”，可改为“我们应该了解战时乡村民众动员工作的重要性”，以免累赘难读。

国语文开始欧化以来，有些人为了要使得文字更精密一些，就把各种不同作用的“的”字写成几个不同的形式。普通的“的字分化”是：表示领位的写“底”，表示形容位的写“的”，表示副位的写“地”，冯友兰氏的写法是把“的”表领位，“底”表形容位，副位同上。前几年陈豹隐氏曾创一“遒”字，是因为某些长句子里，许多形容性的成分纠缠不清，读起来不容易懂，所以除单个形容词语尾仍旧用“的”字外，其余形容性短语及子句下面，都改用“遒”以示分别。不过这个字现在并不通行。对于长句难懂一问题的解决，还得在句法改造上去着想，我们在以后几节里面将略略地讨论到。

习题二六

一　用第一种“的字分化”的方式来改写下面文字中的“的”字：

从拥挤杂沓的火车跨到曾经到过一次的城市时，我的身边只剩一张五角头毛票了。闪烁在黄昏薄暗中的苍白的灯光，挑战似的向我瞅着威胁的冷眼，仿佛说：不准停留！然而我像跑干了汽油的长途汽车，不得不在这里“抛锚”，而可能给我加油起锚的，只有一个在半军事的慈善机关服务的朋友。

二　再用冯式的字分化法来改写上面的“的”字！

三　翻译下列文句为白话：

彼之注意力不能集中，时而窥视窗外来往之行人，时而仰视壁间美丽之字画，是以虽好书在前，亦对之不生兴趣。一日间所读仅三千余言，而所了解者尚不及十之一。是以彼之成绩，在同辈中为最劣者。

二七　后附的副修饰语

前第一二、一三节里，我们曾提到语序上的时间原则，其在副修饰语位置上的例证，便是（一）凡表示动作的时间、地点、原因、方法、性态等的“副修”，位置在动词前面；（二）凡表示动作的归趋、影响、程度、效果或目的等的“副修”，位置在动词后面。因为有关于动作的种种因素，属第（一）类的发现在前，属第（二）类的发现在后，所以位置也有前后之分。平常因为第（一）类的“副修”用得较多，所以觉得“副修”的经常位置在前，在后的就好像是例外。其实有些“副修”是经常在后的。现在分别副词、副短语、副子句举例如下。

后附的副词——（一）直接附加的：（1）你要说“明白”，他们才可以听“清楚”。（2）

好“极”了！（二）有关系助词“的”或“得”联络的：（1）史进把十八般武艺，一一学得“精熟”。（2）娘说的“是”。

后附句副短语——（一）直接附加的：（1）张先生与人交接，“和蔼可亲”。（2）他办事“很认真”。（3）她研究学问“十分努力”。（二）有关系助词联络的：（1）今日这孩子累的“不知怎样”了。（2）那个十五六岁的丫头，生的“倒也十分精致干净”。（3）这话说得“有理”。

后附的副子句——（1）他说的“林黛玉扑嗤的一声笑了”。（2）一阵怪风，刮的“树木都飕飕的响”。（以上是包孕句形式）（3）问君还有几多愁？恰似“一江春水向东流”。（4）那一丛芦苇，映着斜阳，把堤岸密密遮住，很像“粉红绒毯做成了偌大垫子”。（以上是联合句形式）

以上凡用关系助词“的”的地方，改用“得”字都是一样。它的意义和“到”字差不多，读音也相类似，大概是由动词“到”转成的。现在动词后附着的副位名词，是用“到”字联络。例如：（1）十几年来的争吵，把家庭弄到“这般光景”。（2）每天工作到“九小时之久”，也可算得劳动到“十分”了。

“得”字也是可用作动词而表示“到”字意义的，就是表示结果或程度，例如“那时才得七岁”，“这玻璃灯内，只得半盏油”。此外还有表（甲）“可能”，（乙）“应该”或“必须”的意义的，例如“他只得这样做”（表可能），“如果想要考取前几名，你就得加紧用功准备”（表必须或应该）。“得”字用在动词后面，转成副词或语尾助词，表示可能的意思，例如“这点心还吃得”，等于“这点心还可吃”，其余如“晓得”“觉得”“认得”等，则已和动词联合而形成复音的动词，不必分开看。用于联络后附副词语的“得”字，有时也表示可能的意思，例如：“彼此呼叫，还听得见”。“这个苦，你受得了吗？”如果要分别“得”字属于“程度”还是“可能”的意义，把句子变成否定的形式就容易办到。例如这儿两个表可能例句，改成否定，便须把“得”字去掉，换个“不”字代替它，写做“彼此呼叫都听不见”“这个苦我受不了”。而那种表程度的，便不能去掉“得”字，要另外加个“不”字在副修语前面来作成否定，比方“这件事你办得好”改成否定，就是“这件事你办得不好”。有人主张：遇表示可能意义时用“得”字，表示程度意义时用“的”字，这样分别似乎比较免得混淆，但未必能通行。

后附的副修饰语有时候很复杂，形成长长的一连串，又不一定有“的”字、“得”字联络，它和被修饰的动词的关系，怎样能够明显表出呢？这就必须记取一个规律，就是修饰语紧接被修饰语的后面。倘若动词是外动词，那宾语就得提到前面去，让动词和它的修饰语紧接起来。例如“史进学十八般武艺，一一精熟”，句法颇生硬，应改成“史进把十八般武艺，一一学得精熟”。有时候句子不能这样改，便须把那个动词重说一次，例如：他们“跑了”三个圈子，“跑”的大家都喘不过气来。

习题二七

一　修改下列句子，注意语序的变更：

（1）刘婆打扮她的女儿，如花枝招展一般。

（2）我们要消灭这一班贪官污吏到干干净净。

（3）我腰胯生疼地跌了下来。

（4）几千个工人赶修铁路，就完成了大部分的工程，在炎热的夏天。于崇山峻岭之中，凭着几副大机器，跟着几个工程师，扛着木料，运着钢铁，不过花了短短的三个月。使 ×× 至 ×× 间可以通车了。

二 用后附修饰语把下列句子延续下去：

（1）这孩子被雷声惊吓……

（2）那件事使他担忧……

（3）这房子修造……

二八　后附的形容修饰语与同位修饰语

形容修饰语有时也可以放在它的基词之后，例如：此地有人“三个”，喝酒“三杯”——这是数量词的后附。又如：我今天买了一部书，“很好”。本校有几个学生，“很聪明的”，争着来借这部书读。——这是状态形容词的后附。

尤其是较长的形容短语，及形容子句，在中国语序的习惯上，是以后附为常例。例如：

（1）一个孩子，“叫老李做叔叔的”，送来这个包裹。

（2）你看那个傻子，“六月天穿着棉衣”，只管嚷热。

以上是形容短语的后附。

（3）湖里有十来枝荷花，“苞子上清水滴

滴”。

（4）我找了一家旅馆，“房间相当整洁”。

（5）他有一位同学，“体格本来很弱”，这几天染了时疫，“很厉害的”。

以上是形容子句的后附。（最末句兼形容词后附）

就一个句子讲，这些“形修”，或者插在句中，如上（1）（2）（5）句，都是插在句中的，前后有话夹着。或者赘在句末，如上（3）（4）句，都是。

就标点符号讲，以上插在句中的“形修”，前后都有逗号（，）为界；赘在句末的，也有逗号在它和被修饰的词儿之间。还有用破折号来表示插入或赘后的修饰语的，例如：

（6）孙中山先生的故居在现在的中国——或者竟是世界——已成数一数二的名胜了。

（7）他挈他唯一的武器——一枝细小的行杖——和牛乳瓶，走了出去。

（8）男人走了出去，就是他原来的状态，——半裸体，也没有帽。

（9）外边答应说：小祖母！是我——阿

美尼亚人，基督教徒外乡人。

不过应注意的是：后面这几个例，差不多都是同位的修饰语，它们的作用大半是给句中某一个名词加一些解释，或者是把它的意义讲得更完全一些。这种插入的解释，还可用括弧括起来，例如：

（10）这个涧沟（指车站路边的小溪而言）是他老先生小时游泳的地方。

现在许多翻译外国文或写作欧化语体文的人们，常常把句子写得累赘难读，就是因为不懂得把较长的修饰语移在后面去。例如：

外边走进一个人来，两只红眼边，一副铁锅脸，几根黄胡子，歪戴着瓦楞帽，身上青布衣服就如油篓一般，手里拿着一根赶驴的鞭子。

除开首一句话是正句外，其余都是修饰语，假使通通摆在被修饰语的前面，而写成：

一个有着两只红眼边，一副铁锅脸，几根黄胡子，歪戴着瓦楞帽，穿着油篓一般的青布衣服，手里拿着一根赶驴鞭子的人，从外边走进来。那句子便有些累赘，看的时候不容易清出头绪来了。

还有一点应注意的，为了要把形容修饰语移到后面去，就得把“一个人从外边走进来”这个句子的词序改变，写成“外边走进来一个人”或“外边走进一个人来”，使被修饰语“人”和它的修饰语尽量地接近。这也就是语序倒装的理由之一——为了行文的便利。

句法有紧张和轻松的分别。紧张的句法是一气贯注的长句，中途不能读断的，轻松的句法就恰恰相反。像前面“外边走进一个人……”的例句，是轻松的，改成“一个有着……”的形式，便比较紧张了。还有完全不能读断的更紧张的句子，例如：

> 经济是人类为满足生存欲望时对生产技术与手段的获得上所发生的各种行动事务。

这个句子，非集中注意，反复多看，不容易了解，但如果把“各种行动与事务”前面的长修饰语移到后面来，看起来便不吃力了，这样写就是：

> 经济是人类的某些行动和事务，其发生乃由于欲获得生产技术与手段，以满足生存欲望。

目前的新书，越是理论艰深的，句法越是紧张，据说是为了简洁、精密的缘故。然而站在读者立场，便不得不希望著作者能够多采用些轻松的句法。

习题二八

一　把本节中（1）至（5）各例句改写一下，使形容修饰语移到被修饰语的前面去！

二　改造下列句子，使它们轻松一些！

（1）装满了开去的一列列车的其中有农夫工人学生商人和教员的少年和壮年的兵，现在都开到克罗河去防守边疆的第三道防线了。

（2）在后来永久供给为人类食物的兽肉及兽乳的，采用了田野农业的，东半球的动物之饲养，便是初期未开化时代主要贡献之一。

（3）沿途只听见每日夜开二十七班的从甲地到到乙地的火车的往来如梭的汽笛的狂叫。

二九　词汇的发展

词汇（词汇是各种词儿的总称）是由长时间积累而来的，并且时时在生灭变化之中。从词汇发展的途径看，可由三种比较而分成六类：甲、由本国发生与外国输入的来源不同而分成（一）内发词与（二）外来词；乙、由词素是不是全部可以独立而分成（三）合成词与（四）推出词；丙、因旧词转化新词有从声音或意义转化的不同而分成（五）衍变词与（六）流转词。

内发词不必举例。外来词如古代输入的“南无阿弥陀佛”，现代输入的“沙发”“士敏土”“德谟克拉西”等。其中有半音译半意译的，如“卡片”“坦克车”“酒吧间”等。从日本输入的则只用其意义，声音仍照我们自己的读，如“手续”“取缔”“不景气”“瓦斯”“憧憬”“创作”等。外来词是使语言丰富的一种泉源，不妨尽量吸收。

合成词占我国词汇中的一大部分。这种词的每个词素都可独立，换句话说，它们都带着本来意义而联合的。配合的方式很多，大致可分平等配合和主附配合两式。平等配合，例如“衣裳”“栋梁”“儿女”“骨肉”“亲属”“领袖”“图表”“户口”“尺寸”（长度）“斤两”（重量）“大小”“左右”等，是由类义字（意义属于同类的）或由对义字（意义互相对待）结合而成，其中有些是合部分表全体，有些借实物表虚象的。又如“光辉”“正义”“使命”“跳跃”“崩溃”“美丽”“巨大”“微细”等，是由同义字复合而成，这种重复，或由于完成音节（例如“伟大的战”战字音节不完足，必须写做“战争”），或由于分别意义（例如单字词“道”意义含混，写成“道德”“道理”“道路”等复字词，便明白了）。还有“偏偏”“真真”“看看”“试试”等叠字词，有配音及加强语势的作用（至如“滴滴答答”“呜呜”就是纯粹拟音词）。

主附配合，例如“电灯”“马路”“轨道”“水车”“人群”“文盲”等，以一个名词为主，另一个名词附加在上；又如“剪刀”“传单”“读物”等，以名词为主，动词附加在上；又如“苍蝇”“阳光”等，以名词为主，形容词附加在上；又如“清道夫”“阅报室”等，附加的修饰语是带着止词的动词语；如“粉碎”“狙击”“体现”等，是动词前面附了修饰语的；如“碰坏”“提高”“打倒”“跳起来”“拉上去”等，是动词后面附修饰语的；如“注意”“留心”“睡觉”等，是动词后面附有止词的；如“找到”“说及”等，是动词带介词的。

推出词，是以可独立的词干为主，配合的词素是不能独立的词。例如“桌子”“椅子”“这儿”“那儿”“阿黄”“老李”等词，其中的语头语尾，都不能独立，只有语干能独立。此外，还有动词带着“了”“着”“得”等语尾的，如“来了”“走着”“晓得”，颇近于合成词。又带有语头语尾的欧化新名词，如“反帝国主义”“反战争”“反封建”“非殖民地化”“非资本主义”“社会主义者”“读者”“笔者”“世界语”“重要性”“可能性”“慢性”“急性”“美化”“艺术化”“官僚化”“长度”“密度”等，也近于合成词。

衍变词，是声音的转变，如广东人讲“食饭”，北方人讲“吃饭”；广东人讲“返”，北方人讲“回”，从语文沿革上看，“吃”“回”是从“食”“返”衍变而来的。其他如“独”“特”“但”“第”，如“靡”“微”“无”“没”，各系音相近，意义相同的两组词儿（文言文中常用），也是由声音衍变而产生的。流转词，是意义伸缩变动而成，如“共和”“革命”“经济”等，都是用旧词来表新意义。

词儿和短语的分别，大致是：词儿是不能拆开的（拆开就变了意义），短语是可以拆开的。例如“晓得”在北方是词儿，因为不能拆开；在桂林是短语，因为可以拆开加“不”字进去，说“晓不得”。有些可分可合的短语，作用等于一个词儿，例如“睡觉”，有时可以拆开说“睡了一大觉”，但在说“睡觉”时，不必当两个词看。我们叫这种做“语形词”，分语形名词、语形动词、语形介词、语形连词等等（分见第八第十六第廿五第廿六等节）。上面合成词的例子，有些就是语形词。语形名词的构造须注意音节，例如“阅报室”是以“阅报”当一个拍子或音段，也就当一个修饰语，如果扩张为“阅览报纸”便是两个音段，不得不作为两个修饰语，作两次加到“室”字上去，因此就得先加意义较广泛的

"阅览"，构成"阅览室"一名词，然后加"报纸"来限制"阅览"的意义，而写成"报纸阅览室"。

习题二九

一　指出下边的外来词、合成词、推出词、衍变词、流转词：

风水　橘子　烧酒　突然　望远镜　　摩登

来往　东西　印度　罗马　论理学　　艺术

包子　性别　文学　文法　别（不要）　逻辑

二　下边各名词，哪些对，哪些不对？

治安保卫队　身体检查处　保安队

保卫治安队　检查身体处　安保队

健身房　容美院　治疗传染病所

身健房　美容院　传染病治疗所

三〇　句群　标点符号

我们曾经说过，一个句子的意义常常要从它的上下文来决定，推而广之，一个段落的意义常常要从全篇来决定。因此我们要分析一篇文字，首先得看看全篇的意义，然后才有把握了解其中的各个段落。其次先得了解整个段落，然后才能有把握了解其中的一句。

联系各段落间文气的句子，以及联系句子和句子的连词、连短语，作用都是相类似的。例如句间插入的“为什么呢？”等于“因为”，其他如“仔细讲起来”“换一句话说”“简单一句话”“总而言之”“怎么讲呢？”……都是常用的连短语——这些短语多半是由动复语充当的。有些副词副短语转变而成连词连短语，如“另方面”“反之”“既然……也就”，它们的联络作用也较修饰作用值得注意些。

但我国文字的联系，有时也不用关系词来表现。有些句子，形式上是独立的，实际上却只是附属其他句子的修饰语或补足语，我们必须通看上下文，方才看得清楚其间的关系。这样的句子，或者可叫作“句群”。

关于段落篇章的话，我们让给作文法去讲，现在只把“句群”说说。因为这与前第廿八节所说变紧张句法为轻松有关系。大凡一个紧张的长句，只要把其中较长的宾语、修饰语提前或移到后面去，有时变成形式独立的副句，这就可以造成轻松的句法了。例如：

（1）这便是弄死那只咬了吃杰克所造屋中藏的麦芽的老鼠的猫的那只狗。

（2）他们都笑嘻嘻地不曾了解战争的恐怖似的连袂上车。

这两个句子可以改写如下：

（1）杰克所造的屋子里藏着麦芽，给老鼠吃了，老鼠给猫咬死，猫又给狗弄死，这便是弄死了猫的那只狗。

（2）他们都笑嘻嘻地连袂上车，似乎不曾了解战争的恐怖。

这样改写，第一句便变成了一个句群，第二句便从包孕句变成了联合句。但学术文字，为了精密简洁，也不能完全避免紧张句的构造，例如下列句子：

> 当法国生物学家卡腊尔（Corral，现在纽约 Roekfollor 学院里研究）没有将鸡胚心脏中的一片组织（原结缔组织）培养于人工的环境中，分生繁殖，增长不已（每隔四十八小时，体积增加一倍），距今已二十八年，仍未发现衰老状态（然而整个鸡的寿命，就最高者论，也不过十年左右）以前，谁能相信一小块鸡心的组织能离鸡体常保青春，长生不老呢？

上句中“当……以前”这个短语形连词中间夹入一长串文字，又，其中插了许多解释的语句进去，要算很复杂了，但因标点符号的帮助，却不难理解。因此标点符号的使用，不能忽视。

标点符号，大致可以分成四组来说：

【甲组】。（句号又称结点） ：（冒号）

；（分号） ，（逗号点号或读点）

、（顿号） .（词别号）

【乙组】！（惊叹号）？（疑问号）

【丙组】——（破折号）……（删节号）

“”或‘’（引号）（ ）或〔 〕（夹注号或括弧）

【丁组】孔子（私名号）（《论语》）（书名号）

上甲组各符号是分大小的次序排列的，即句号大于冒号，冒号大于分号，依次类推。平常一个句子，文气已完，即用句号；句中如包含副句或较长的短语，即用逗号分开，如果是较长的句群，便得用分号先分成几个分句，然后就各句再来分读（逗）。冒号用在引用文以前，或分条叙述文字的前面或后面。顿号是隔开几个同类词儿时用的。至于词别号，是近年翻译界分别外国人姓和名用的圆点，位置在行格的正中，只占半格地位。乙组符号用法见第十九节。破折号用在意思突变或下接解释文字的地方（参看第廿八节）。引号除引用别人语言文字时使用外，人们对于某些强调的词语也用它，如认为成问题的下面还加夹注的疑问号。其余符号，似乎不待说明了。

习题三〇

一　下列文字，各有几种标点方法？意义是不是因标点而不同？

（1）下雨天留客天留人不留

（2）过路行人等不得在此小便

（3）父在母先亡

（4）民可使由之不可使知之

二　试将前第二十八节“经济是……行动和事务”一例句改造，使修饰语移前，成为独立形式的子句。

习题答案

习题一

一　地理　历史　音乐　图画　沙漠　蜻蜓　蝴蝶　敏捷　看见　突然

二　道理　道德　道路　知道　道地　道具　公道　报道　说道（或“道”）　称道（称赞）

三　文化　文明　文章　文字　文学　文艺　文法　作文法

四　枇杷　伶俐　徘徊　恍惚　啰唆　吩咐

以上各词，都属于本来复音词，因为它们所包含的字从来没有拆开使用的（伶俐的伶字可以作演剧人解，但只占伶俐一词的半截，而且和复音词意义没有关联）。其余都是合成复音词。如“地中海”是由“地”“中”

与“海”合成的一个地名。“活泼”的“活”字“泼”字，也各自可以单独表示一个意义。

习题二

一【短语】牛马奴隶　明月　太多　马蹄（二）　鸣鸟　牛毛

【句子】花红（一）　月明　牛鸣　太阳落山了

【词儿】水牛　月亮　太阳　明朗　花红（二）　花红（三）　马蹄（一）

二（1）乖孩子最博得父母的怜爱。

（2）从噩梦中醒来的人心神还是不定。

（3）断垣残壁使人看了很伤感。

（4）在草屋前面飞翔的小鸽子是我的旧相识。

（5）骂街的泼妇吵闹了大半天。

（6）慈爱的母亲催眠她的小宝宝。

（7）不妥当的字句应加洗刷。

三　甲部是主语，乙部是述语。

习题三

一 “因为”“故”“替”“为”是关系词。

“吗”“呀”“呢”是语助词。

“哦”是感叹词。

二 在——（1）关系词（2）动词（6）修饰词

流——（3）名词（4）修饰词（5）动词

三 （1）小（修）鸟（名）在（关）枝头（名）叫（动）。

（2）一个（修）蜘蛛（名）正（修）在（关）庭前（名）结（动）网（名）。

（3）他们（代）真的（修）欢喜（动）。

习题四

一 形容词：沉重、发抖的、阴暗的、一道、壮、血红的

副词：嗤嗤地、饥、慢慢

二 介词：从、到、在

连词：而、于是、而且、因为、就、便

习题五

一 （1）武松（主）打（述干）虎（补）。

（2）老太婆（主）念（述干）佛（补）。

（3）雀儿（主）飞（述）。

（4）他（主）变成了（述干）厌世者（补）。

（5）我（主）教（述干）他（补一）读书（补二）。

二 “你会见张君吗？”

“听说张君到了桂林，我可没有看见。”

上问答句，答句中上一小句缺少主语“我”，下一小句缺少补足语“他”。

又例：

“谁来了？”“老张”。

这儿在答句中缺了述语“来了”。

习题六

一 （1）是非句，申辩或解释。

（2）是非句，解释。

（3）第一种有无句。

（4）第二种有无句。

（5）是非句，申辩。

二 （1）猴子是动物。

（2）一年有十二个月。

（3）这个石山上没有树。

（4）日本是岛国。

习题七

一 （1）闹、内动。（2）闹、外动。（3）跳、外动。

（4）玩、内动。（5）买、外动送、外动。

二 （1）大众工业社聘刘律师为常年法律顾问（原句缺补足语）。

（2）某公馆聘张小姐做家庭教师（原缺动词或述干）。

（3）我们介绍李先生和张小姐结婚（原缺宾语）。

（4）本市市民请市政府扑灭霍乱（原缺主语）。

习题八

一 （1）火焰燃烧着。（2）光线强烈（3）。病人呻吟着。（4）孩子伶俐。（5）小燕子可爱。（6）春景美妙无比。（7）鸟的羽毛漂亮。（8）他的老母七旬了。

二 （1）他的嘶哑的喉咙（2）这永远汹涌着的河流（3）已到来的黎明（4）开着的石榴花（5）吹拂着的轻风（6）因空袭而疏散的市民（7）空军的辉煌战绩（或辉煌的空军战绩）（8）意志薄弱的他（或他的薄弱的意志）（9）这个颇新颖的题目

习题九

一 （1）妈（在她女儿前）蹲着。【副修、短语】

（2）她【在（洗碟子的）布上】揩了手。【大括弧内是副修、短语；小括弧内是形修、短语】

（3）你（向来）是（好）女儿。【第一括弧内

是副修；第二括弧内是形修：都是单词】

（4）有（一辆坐六个人的）汽车停（在柳树的旁边）。【上形修；下副修：都是短语】

（5）音乐奏出了（尖利的清澈的）调子。【形修】

（6）（一个阔肩膀的）男子（用手掌）拍拍他的膝。【上形修，短语。下，副修、短语】

（7）（一个没有鞋子穿的破衣服的）孩子，【同着（别些好衣好裤皮鞋短袜的）孩子们】住在一起。【第一个，形修，短语。第二个大的，副修，短语；小的，形修、短语】

二 （1）两个高个子的人沿着河岸走。

（2）一部装满了火油的卡车在马路上颠簸。

（3）三五个武装警察在这小巷子里捉贼。

（4）一个约莫二十岁年纪的女子每天早上在这个池塘旁边洗衣。

（5）那个三岁孩子，为了失去了玩具，哭个不休。

习题一〇

一 （1）鸡声啼醒了梦境。

（2）书中的要点被他抓住了。

（3）那个玻璃瓶给这孩子打碎了。

（4）意大利人推翻了墨索里尼的政权。

（5）劳心者治人（人即劳力者）。

二 （1）雀子给爆竹声吓走了。

（2）法西斯党为意大利民众所痛恨。

（3）基辅被苏军克复了。

（4）这本书就让他带走了。

（5）这件事情由你办，倒好些。

（6）那个贼已经杀了。

（7）国事误于此辈庸人。

（8）我的作品真是贻笑大方。

（9）自重者不见侮于人。

习题一一

一 （1）鸟之飞，兔之走（或鸟的飞，兔的走）。

（2）土地的广大，人口的众多，物产的丰富。

（3）武松的打虎。

（4）屠夫的杀猪。

二 （1）飞鸟。走兔（或飞着的鸟，走着的兔）。

（2）广大的土地，众多的人口，丰富的物产。

（3）打虎的武松。

（4）杀猪的屠夫。

三 武松所打的虎。屠夫所杀的猪。

四 （1）主语（2）述语（3）宾语（4）补足语

五 （1）名复语（2）动复语（3）动复语

习题一二

一 （1）天空变成浅蓝色，很浅很浅的。

（2）前面来了一个女人，头发花白，衣服都很破烂。

（3）不可看的东西，不可去看；不可吃的东西，不可去吃。

（4）那本书，我看完了。

（5）这个大学生，连报也不看。

（6）战争把那个古代建筑物破坏得干干净净。

（7）他欢喜得睡不着觉。

二（1）这位先生真太不小心了。

（2）他完全忘了昨天的话。

（3）一群小孩子从那边来了。

习题一三

一（1）街那边站着一个警察。

（2）壁上挂着一把胡琴。

（3）花园里有一个假山。

（4）窗缝里射入一线阳光。

（5）马路两边堆着厚厚的雪。

二（1）（2）（4）（5）都是描写式的动作句。现在改成记载式如下：

（1）一个警察在街那边站着。

（2）一把胡琴挂在壁上。

（4）一线阳光从窗缝里射入。

（5）厚厚的雪堆在马路两边。

习题一四

一 （1）那个客给你留一张纸条。

那个客留一张纸条给你。

那个客把一张纸条留给你。

（2）李君向朋友借了许多的书。

（3）老师把头等奖给予张生。

老师给予头等奖于张生（此是文言）。

（4）你可别告诉他实话。

你可别给他讲实话。

（5）我不曾从他得一点好处。

（6）他不曾把一点好处给我。

二 （1）民众呈献驻军长官纪念旗一面。

（2）教师把课卷交付学生。

（3）校长将毕业证书颁给学生。

（4）商人向订货处交付一批货。

（5）驻军长官赠送战利品给民众。

习题一五

一　吴大堵他老婆一句:“（你）过不了，也得过呀！”

“唉！若是往年,（我们）也可以请个医生来（给他）把把脉。”

“（你）不要管他啦！（你）随他去吧！（他）不会怎么样的。”

王家二婶儿说:“（你们）怕什么！（你们）别难过。（他）许是遇见不正气的精灵了,（你们）烧几张纸送送（它）再说啦！”

二　农人对牧师说:“我得了一个儿子”。

“应该起个什么名字呢？”牧师问。

“芬恩——照我父亲的名字叫他。”

“还有别的事情吗？”牧师抬起头来。

农人踌躇了一下："很希望你亲自去施洗礼。"

习题一六

一 （1）正副复句（2）单句（3）包孕复句（兼正副）（4）单句（5）正副复句（兼包孕）（6）包孕复句（7）平列复句（8）正副复句

二 （1）的内句是宾语。（2）的内句一（魂飞魄散）是副修饰语，内句二（爹娘少生两只腿）是宾语。（3）的内句是主语。

三 （1）他已经勤劳到十分了，在他没有成功以前。

（2）他得了脑病，因为这几年用功太多了。

（3）他一定来，只要天气好。

习题一七

一 （1）酒，主位。东西，补位。

（2）我，主位。诗人，宾位。

（3）夜、明、天、地，都是主位。天、地也可作副位看。

（4）上我，下你，主位。上你，下我，宾位。明天，家，副位。家又是介词“在”的宾位。（参看二五节）

（5）幻境，宾位。上自己，宾位提前。世界，副位。隐士，述位。下自己，宾位。别人，领位。赏识，副位，同时是介词“为了”的宾位。英雄，述位。个人主义，补位。

二 （1）酒是不好底东西。

（2）自造一个宁静底幻境，把自己与世界隔离起来隐士一下；或者过分地偏爱了自己，为了别人的赏识而英雄一下，都是个人主义。

习题一八

一 （1）英王，同主位。

（2）希腊哲学家，同领位。

（3）天文学家，同宾位。

（4）俄国无政府主义者，同补位。

二 （1）下一“他”字，是“轻视”的宾，兼“年幼”的主。

（2）上一“他”字，兼“听见”句及“欢喜”句的主。“别人”，宾兼主。

（3）“他”，宾兼主。

（4）“话”，宾兼主。

三 第（1）（2）（4）都是复句。

习题一九

一 （1）疑问（2）直说（3）感叹

二 肯定：那不是白费气力吗？

否定：他做出这种事来，还算什么道德君子？

希求：您明天可能抽空儿替我改一改这篇文稿？

三 （1）老张问老李是不是看见他的歌曲集。

（2）老李反问老张是不是要那本绿封面的歌曲集。

习题二〇

【具体名词】道路、道德经、笔、身体、纹理、水、孔子、圣贤（比较孔子所包含的范围大，可说较虚）、人类（比圣贤又虚些）、牛、动物（比牛及人类都要虚些）

【抽象名词】仁义、道德、笔调、理论、高度、全体、部分、可能性

二　江间（名）波浪（名）兼（动）天（名）涌（动）塞上（名）风云（名）接（动）地（名）阴（动）

以上名词动词都属于实词类，而动词比较名词虚些。名对名，动对动，就是虚对虚，实对实。就句法说，各词的词位如下：

江间（领）波浪（主）兼天（副、短语）涌（述干）

塞上（领）风云（主）接地（副、短语）阴（述干）

从这儿也可以看出它们的对称。

悦（动）亲戚（名、领位）之（关系词）情话（名复语、宾位）

乐（动）琴书（名、宾位）以（关系词）消忧（动复语、副位、介宾位）

上例关系词对称，即虚字相对，其余动对动，名对名，复语对复语，也很对称，不过词位不很相符罢了。

习题二一

一 （1）吗（2）呢（3）（吗）（4）呢·呢

二 （1）也（2）焉（3）矣（4）耳

三 副词

习题二二

一【干词】晓 觉 认 值 偶 忽 安 恍

【语尾词】得 得 得 得 然 然 然 然

二 下列括弧内的关系词都是配音助词

从今（以）后 圈子（以）外

李先生（之）兄 张君的笔

吃饭（而）外 为着求学（而）来

化合（而）成

习题二三

一　街前面有一个卖花的，他卖的是白兰花，这个是我不想买的，我想买的他没有。

二（1）郑君之画，于并世诸画家作品中为最佳，而刘君之作，去郑君亦不远。

（2）是人，吾不知其姓氏，亦不明其来此之目的。

（3）渠见一新书，即斥资购之。

习题二四

一　民国三十二年、十一月、二十日、上午八时、五周纪念、二哥、三姨太太、李四、……

二　本班人数占全校百分之五（假使全校同学八百人，本班四十人）。

本届考试取录新生人数占全体投考人数百分之六十（假使投考人数二百一十名，取录一百二十六名）。

假使我在三月一号读书速率是每分钟读一百字，到四月一号再试验，增加到每分钟一百五十五字，那么我在这一个月内阅读速率的进步是百分之五十五。

三 （1）“三”“七”“六”都是副词。（2）“多少”是疑问形容词。（3）“十几个”是质量动词。（4）“一杯”是代替“一酒杯”的名词，也可说是代名词。

习题二五

一 （1）在（2）为了（3）到（4）因（5）为（6）比

二 （1）什么（2）他（3）钱（4）你（5）这件事、我（6）那位先生

习题二六

一 从拥挤杂沓的火车跨到曾经到过一次的城市

时，我底身边只剩一张五角头毛票了。闪烁在黄昏薄暗中的苍白的灯光，挑战似的向我睐着威胁的冷眼，仿佛说：不准停留！然而我像跑干了汽油的长途汽车，不得不在这里“抛锚”，而可能给我加油起锚的，只有一个在半军事的慈善机关服务的朋友。

二　把上面所有的“的”字改“底”字，“底”字改“的”字，“地”字照原。

三　他的注意力不能集中，时而窥看窗子外面来来往往的行人，时而抬起头来看看墙壁上的美丽的字画，所以虽然面前摆着好书，也对它不发生兴趣。一天里面只读得三千多字，而了解的还不到十分之一。所以他的成绩，在同伴里面是最劣的。

习题二七

一 （1）刘婆把她的女儿打扮得如花枝招展一般。

（2）我们要把这一班贪官污吏消灭得干干净净。

（3）我跌了下来，跌得腰胯生疼。

（4）几千个工人，在炎热的夏天，于崇山峻岭中，跟着几个工程师，凭着几副大机器，扛着木料，运着钢铁，赶修 ×× 铁路，不过花去短短的三个月，就完成了大部分的工程，使 ×× 至 ×× 间可以通车了。

二 （1）这孩子被雷声惊吓得哭起来了。

（2）那件事使他担忧得坐卧不安。

（3）这房子修造得十分坚固而且摩登。

习题二八

一 （1）一个叫老李做叔叔的孩子送来这个包裹。

（2）你看那个六月天穿着棉衣的傻子，只管嚷热。

（3）湖里有十来枝苞子上清水滴滴的荷花。

（4）我找了一家房间相当整洁的旅馆。

（5）他有一位体格本来很弱的同学，这几天染了很厉害的时疫。

二 （1）开去的一列列车，装满了少年和壮年的兵，其中有农夫、工人、学生、商人和教员，现在都开到克罗河去防守边疆的第三道防线了。

（2）东半球的动物之饲养，——采用了田野农业，所供给的兽肉兽乳，后来永久为人类食物——便是初期未开化时代主要贡献之一。

（3）从甲地到乙地的火车，每日夜开二十七班，沿途只听见往来如梭的汽笛的狂叫。

习题二九

一　外来词：摩登　印度　罗马　逻辑　论理学

合成词：风水　烧酒　望远镜　来往　东西　论理学　艺术　文学　文法　性别

推出词：橘子　突然　包子

衍变词：别

流转词：风水　东西　性别　艺术　文学　文法（末三词意义虽然大致不变，但现今解释和从前有许多不同的地方）

二　对的：治安保卫队　身体检查处　保安队　健身房　美容院　传染病治疗所

不对的：其余各名词

习题三〇

一 （1）下雨天留客，天留人不留。

下雨天，留客天。留人不？留。

（2）过路行人等，不得在此小便！

过路行人，等不得，在此小便！

（3）父在，母先亡。

父在母先亡。（父死在母死以前）

（4）民可使由之，不可使知之。（人民，只可叫他们跟着做，不可叫他们有知识。）

民可，使由之；不可，使知之。（人民程度够，就让他们享受自由权；不够，便教育他们，使他们有知识。）

上例都因标点不同而意义各别。

二 人类为满足其生存欲望，须获得生产技术与生产手段，由此而发生的各种行动和事务，便是经济。

索引（略）[1]

[1] 原书正文后所附的“索引”，是按民国拼音法编排的。考虑该拼音法在中国大陆地区已废止，对今天的读者已无意义，故删去。特此说明。——编者注

三联经典文库第二辑简目

《游击战教程》　明凡 / 著

《游击战术纲要》　陶剑青 / 编著

《汪精卫卖国的理论与实践》　钱俊瑞 / 著

《抗战以来》　韬奋 / 著

《陕行纪实》　楚云 / 著

《随军散记》　沙汀 / 著

《被日寇囚系半载记》　王研石 / 著

《倭营历险记》　房沧浪 / 著

《活跃的新西北》　田影 / 编著

《保卫华北的游击战》　刘清扬　陈北鸥等 / 著

《徐州突围》　《徐州突围》编委会 / 编

《沦亡的平津》　长江　小方等 / 著

《淞沪火线上》　胡兰畦等 / 著

《瞻回东战场》　长江　罗平 / 著

《东线的撤退》　胡兰畦等 / 著

《抗战中的西北》　徐盈 / 著

《鲁闽风云》　徐盈等 / 著

《西线生活》　西北战地服务团集体创作

《中国解放区见闻》　［美］福尔曼著 / 朱进译

《全面抗战论》　潘汉年 / 著

《日本的间谍》　范士白自述 / 尊闻译

《日本大陆政策的真面目》　国难资料编辑社 / 编

《民众动员论》　李公朴 / 著

《中国外交史》　钱亦石 / 编著

《太平洋军事地理》　蒋震华 / 著

《世界经济地理讲话》　思慕 / 著

《列强军力论》　［德］马克斯 · 威纳尔著 / 宾符　仲持　梅益等译

《近代国际关系史》　张铁生 / 著

《太平洋现势手册》　沈志远　石啸冲 / 编著

《近代世界政治史》　钱亦石 / 著

《从战争到和平——一九四五年的世界政治》　乔木 / 著

《战后日本问题》　思慕 / 著

《最近一年间的国际动态（1946.7–1947.6）》　《东北日报》社 / 编

《论政党》　翟放 / 著

《法与宪法》　韩幽桐 / 编著

《中华民国宪法刍议》　罗家衡 / 著

《民主 · 宪法 · 人权——作之民》　费孝通 / 著

《宪法论初步》　潘念之 / 著

《对反民主的抗争》　韬奋 / 著

《农村改进的理论与实际》　江恒源 / 著

《上海产业与上海职工》（上下）　朱邦兴　胡林阁　徐声 / 合编

《陶行知教育论文选辑》　陶行知著 / 方与严编

《中国通货膨胀论》　杨培新 / 著

《中国及其未完成的革命》　H·普拉特著 / 蒋天佐译

《中国的建设问题与人的训练》　卢作孚 / 著

《论中国特殊性及其他》　艾思奇 / 著

《中国经济问题讲话》　钱俊瑞　徐雪寒　王渔邨　姜君辰　骆耕漠 / 合著

《中国经济的道路》　许涤新 / 著

《中国财政之病态及其批判》　孙怀仁 / 著

《官僚资本论》　许涤新 / 著

《五四运动之史的评价》　陈端志 / 著

《中国通史简编》（上下）　中国历史研究会　范文澜 / 主编

《论文学的工农兵方向——读〈在延安文艺座谈会上的讲话〉》　雪苇 / 著

《中国近代史（上编　第一分册）》　武波 / 编著

《文学百题》　傅东华 / 编

《中国史学之进化》　周谷城 / 著

《论民族形式问题》　胡风 / 著

《论批评》　荃麟等 / 著

《中国史纲》（第一卷上下，第二卷上下）　翦伯赞 / 著

《近代中国思想学说史》（1–4）　侯外庐 / 著

《中国政治思想史》（上下）　　吕振羽 / 著

《中国哲学史纲要》　　向林冰 / 著

《中国政治史讲话》　　钱亦石 / 著

《中国社会经济史纲》　　王渔邨 / 著

《新财政学大纲》　　千家驹 / 著

《太平天国革命运动论文集——金田起义百周年纪念》

华北大学历史研究室 / 编

《理性与自由——文化思想批评论文集》　　胡绳 / 著

《战斗者的诗人》　　黄药眠 / 著

《国语文法》　　曹朴 / 著

《教育哲学》　　张栗原 / 著

《妇女问题讲话》　　杜君慧 / 著

《婚姻 · 子女 · 继承》　　沙千里 / 著

《性教育新论》　　布士克　雅各生合著 / 董秋斯译

《狱中杂感》　　杜重远 / 著

《七人之狱》　　沙千里 / 著

《爱迪生传》　　伍况甫 / 译

《歌德自传》（上下）　　歌德著 / 思慕译

《尼赫鲁自传》　　［印度］尼赫鲁著 / 毕来译

《列宁传》　　［苏］凯尔任采夫著 / 企程　朔望译

《罗斯福总统传》　　C. Mackenzie 著 / 张尚之译

《托尔斯泰传》（1–3）　　［英］阿尔麦 · 莫德著 / 徐迟译

《革命文豪高尔基》　［美］亚历山大·康恩著 / 韬奋编译

《鲁迅纪念特辑》　新中国文艺社 / 编

《回忆鲁迅先生》　萧红 / 著

《人民文豪鲁迅》　平心 / 著

《亡友鲁迅印象记》　许寿裳 / 著

《鲁迅思想研究》　何干之 / 著

《鲁迅研究》　夏征农 / 编

《过来的时代：鲁迅论及其他》　雪峰 / 著

《电影戏剧表演术》　洪深 / 著

《日常心理漫谈》　［美］约瑟夫·查斯特罗著 / 曾宝菡译

《心理常识漫话》　朱智贤　杨云美 / 著

《读书的方法与经验》　王任叔 / 著

《美国黑人生活纪实》　［美］加德维尔　斯坦倍克著 / 董秋斯译

《初访美国》　费孝通 / 著

《事业与成功》　［美］马尔腾著 / 汪原放译

《萍踪寄语（初集）》　韬奋 / 著

《一生的幸福前途——〈生活周刊〉信箱选集》　生活书店 / 编选

《深刻的印象》　生活周刊社 / 编

《海外的感受》　生活书店编译所 / 编